Un rincón del Universo

PUNTO DE ENCUENTRO

Ann M. Martin

Un rincón del Universo

EVEREST

En memoria de Stephen Dole Matthews
6 de junio de 1927 - 14 de agosto de 1950.

Dedico este libro a mi amiga Jean Feiwel,
que sabe encontrar los rincones.

Dirección Editorial: Raquel López Varela
Coordinación Editorial: Ana María García Alonso
Maquetación: Cristina A. Rejas Manzanera

Título Original: *A Corner of the Universe*
Traducción: Alberto Jiménez Rioja

Fotografía de cubierta: Michael Prince / Corbis
Diseño de cubierta: Jesús Cruz

Copyright © 2002 by Ann M. Martin
© EDITORIAL EVEREST, S. A.
Carretera León-La Coruña, km 5 - LEÓN
ISBN: 84-241-8722-9
Depósito legal: LE. 448-2005
Printed in Spain - Impreso en España

EDITORIAL EVERGRÁFICAS, S. L.
Carretera León-La Coruña, km 5
LEÓN (España)
Atención al cliente: 902 123 400
www.everest.es

El verano pasado, el verano en que cumplí doce años, fue cuando llegó Adam. De ahí en adelante los acontecimientos se dividieron en antes de Adam y después de Adam. Esta noche, varios meses después de Adam, tengo por fin un rato para mí sola.

Estoy sentada en el salón revisando nuestras películas caseras, que guardamos en una caja de metal. Cada rollo de película está cuidadosamente etiquetado. EL DÍA DE NUESTRA BODA, 1945. VISITA DE HAYDEN, 1947. HATTIE, 1951. CUATRO DE JULIO, 1958. Busco las películas de este verano. Papá las empalmó en un gran rollo etiquetado JUNIO-JULIO 1960. Lo tengo en las manos, le doy vueltas y más vueltas.

Todo está tranquilo. Parece que estoy sola en casa, aunque dos de las habitaciones del piso superior están ocupadas. Se oyen los relojes de la habitación del señor Penny y unas pisadas suaves en dirección al baño. Los pasos pertenecen a la señorita Hagerty, seguro. Conozco las costumbres de nuestros huéspedes, y a esta hora la señorita Hagerty, de más de ochenta años, comienza lo que ella denomina su tratamiento de belleza nocturno. En la calle un coche pasa por la avenida Grant, barriendo con sus faros el oscurecido salón. Para ser octubre no hace frío, por eso he dejado una ventana abierta. Huele a verde y se oye el ladrido de un perro.

Mamá y papá han ido con Nana y el abuelo a una gran cena del Club del Día de Hoy, su primera reunión social desde la fiesta que dieron los abuelos aquella terrible noche de julio. En esta primera noche que tengo para mí sola, papá me ha confiado el proyector de cine y todos los rollos de película. He hecho palomitas y me las estoy comiendo en el salón, donde se supone que no debo comer nada desde el desafortunado incidente de los huevos duros con salsa picante de 1958. En realidad sólo se ven los bordes de la mancha; además ahora tengo doce años, no soy una niña de diez; además, desde que papá piensa que soy lo suficientemente responsable como para manejar su proyector, puedo considerar anulada dicha prohibición. Supongo.

Me ha dicho que esta noche debo hacerlo todo yo sola, y lo haré: sin un solo error o accidente. Coloco la pantalla en un extremo del salón. Ya he sacado el proyector del armario, lo he puesto sobre la mesa y he encajado un rollo de película, haciendo todos los ajustes precisos. Enciendo el proyector, apago la luz, afianzo el cuenco de palomitas sobre mi regazo y me preparo para mirar la película etiquetada como HATTIE, 1951. Es una de mis favoritas porque en ella está grabada la fiesta de mi tercer cumpleaños y se ve a nuestro viejo gato Simón saltar sobre la mesa del comedor y aterrizar en un plato de helado. Proyectando la película hacia atrás se ve a Simón volar hacia el suelo mientras las salpicaduras de helado vuelven solas al plato. Hago saltar a Simón varias veces dentro y fuera del plato antes de ver el resto de la película.

En este momento sostengo el rollo de película del verano pasado. Lo he pensado mucho antes de sacarlo y colocarlo en el lateral del proyector. Lo encajo, lo ajusto, lo giro, hago todo lo necesario a la luz de una lamparita. Cuando acabo me tiemblan las manos. Tomo aire, enciendo el proyector, apago la luz, me siento.

Bueno. Ahí está Ángela Valentine, es lo primero que sale. Está en el porche, saludando con la mano. Tenemos un montón de tomas de gente en el porche, saludando. Ello se debe a que cuando papá saca la cámara y empieza a apuntar con ella a diestro y siniestro, siempre hay alguien que gimotea:

—¡Ay, señor, la cámara no! ¡Que no sé qué hacer!

A lo que papá siempre contesta:

—Bueno, ¿qué tal si te quedas donde estás y saludas?

Así que allí estaba Ángela saludando. A continuación la señorita Hagerty y el señor Penny salen de la casa, flanquean a Ángela y saludan a su vez.

Luego hay una toma de un día cuando empieza a anochecer; los abuelos, en su propio porche, también saludan. Están vestidos de fiesta. El abuelo lleva esmoquin y zapatos brillantes, Nana un vestido largo, hasta los tobillos, y un chal sobre los hombros. No recuerdo adónde iban así vestidos pero están contentos, sonríen, van tomados del brazo, el abuelo da palmaditas sobre la mano de Nana.

Y allí, de pronto, aparece Adam. No quiere sonreír ni saludar a la cámara. Nunca hacía nada que se le pidiera si tenía la cámara delante. Ahora está en nuestro patio lanzando una pelota de béisbol arriba y abajo, arriba y abajo. Cuando la puerta de entrada se abre y aparece Ángela, fresca y tranquila con un vestido de verano sin mangas, él deja caer el balón a sus pies y la contempla mientras ella saluda a papá, se sienta en el balancín del porche y abre un libro. Rebobino la película y la miro de nuevo. No por su valor como entretenimiento, sino para ver a Adam una vez más.

A continuación viene la feria. Me siento derecha. Se ve la noria. Mamá y yo estamos subidas a ella, dando vueltas y más vueltas, incómodas porque papá no quiere apagar la cámara. Sonreímos y sonreímos y sonreímos, con enormes sonrisas que parecen marcadas con hierros candentes sobre nuestras caras. Y se escucha el concierto de la banda del Cuatro de Julio; el almuerzo está desperdigado a nuestro alrededor. Adam come como una máquina, negándose a mirar a la cámara. Los demás, diligentemente, mastican de manera exagerada, se dan palmaditas en la tripa y sonríen en dirección a papá. Dejo escapar un discreto eructo, para beneficio de Adam, que se ríe por fin.

Por último está mi fiesta de cumpleaños (la que dieron papá y mamá, no la de Adam). La de Adam fue privada, y fue un acontecimiento de ésos que sólo pasan una vez en la vida. Esta fiesta es como la de todos los años. Miro la tarta, miro los regalos. Simón ya no está. Murió cuando yo tenía cinco años, y no volvimos a tener otra mascota. Todos se ríen: mamá, los abuelos, Cuqui, la señorita Hagerty, el señor Penny, Ángela, yo. Todos menos Adam, que contempla ensimismado la decoración de mi tarta. Aún no lo sabemos, pero ése es el principio del incidente de la rosa de azúcar; Adam está a punto de armarla y papá a punto de dejar de grabar.

El rollo se acaba y el final de la película se suelta y aletea. Apago el proyector y me siento unos minutos en la oscuridad, recordando esas imágenes felices. Las sonrisas, los saludos… no quiero llorar. Las películas de papá son estupendas pero no cuentan lo que ocurrió en el verano. Lo más importante es lo que no se ve. Papá ha captado los buenos momentos, pero sólo los buenos.

La parte que él no filmó fue la que cambió mi vida.

Capítulo 1

Los domingos muy de mañana Millerton es un pueblecito dormido cuyas casas cabecean en el ambiente pesado. Ni siquiera son las seis y media, y ya siento la humedad colándose por las contraventanas y cubriéndome como una manta. Todo lo que toco está húmedo.

Seguro que soy la única que está despierta en la casa. Me quedo tumbada un poco más, escuchando los pájaros. Sin embargo, no estoy dispuesta a pasarme toda la mañana en la cama, aunque sea el primer día de las vacaciones de verano. Algunos compañeros esperan con ansia las vacaciones durante todo el curso sólo para poder dormir hasta tarde. No es mi caso: tengo un montón de cosas que hacer. Salto de la cama, me pongo los pantalones cortos, las sandalias y la blusa sin mangas que me ha hecho la señorita

Hagerty con su máquina de coser Singer. Es una blusa blanca con una gran X de cinta azul en la parte delantera.

Salgo al pasillo de puntillas. Mi habitación está en un extremo, las escaleras en el otro. En medio están: la habitación de mis padres, la habitación de la señorita Hagerty, la habitación del señor Penny, la habitación de Ángela Valentine, un pequeño cuarto de invitados, un baño y un trastero. Es un pasillo largo. Deben ser las siete menos cuarto porque, justo cuando paso por la habitación del señor Penny, estallan campanadas, carillones, tintineos y tintirintines. El señor Penny tenía una tienda de reparación de relojes. Ahora está jubilado pero su habitación está llena de ellos, y todos marchan perfectamente, faltaría más. A y cuarto, a y media, y a menos cuarto de cada hora, cantan, campanillean y repiquetean; por suerte estamos tan acostumbrados a los sonidos que no nos impiden dormir por la noche. A las horas propiamente dichas, los cucos emergen de sus casitas de madera, brama el reloj que imita la sirena de un barco, los animalillos bailan el vals y los patinadores patinan. El señor Penny tiene incluso un reloj de abuelo, lo cual me parece bien porque podría haber sido abuelo de haber tenido hijos. Un sol y una luna se mueven sobre la esfera; y aunque al señor Penny nunca le han gustado los niños (ni antes ni ahora), me deja darle cuerda con la llavecita una vez por semana siempre vigilando las pesas de dentro hasta dejarlas en la posición correcta. El señor Penny dice que soy "responsable".

Bajo las escaleras de puntillas y entro en la cocina. Sigo estando sola. Eso está bien. Si tengo que poner en marcha el desayuno de todo el mundo, me gusta tener la cocina a mi entera disposición. Saco algunas de las cosas que Cuqui necesitará cuando llegue. Cuqui es nuestra cocinera y ayuda a mamá a preparar la comida para los huéspedes. Su verdadero nombre es Raye Bennett, yo creo que es precioso, es un nombre de heroína de novela, pero todo el mundo la llama Cuqui, así que yo también. A veces me pregunto si no preferiría que la llamaran Raye o señora Bennett, pero nuestra familia no es muy de hacer preguntas.

Yo me encargo del desayuno de la señorita Hagerty durante los veranos. Ella es la única de nuestros huéspedes que desayuna en su habitación. Lo hace en primer lugar porque está mayor, pero también porque, oh, Dios mío, nadie debe verla hasta que esté maquillada, y para maquillarse necesita reponer fuerzas. Así que cada mañana le preparo la bandeja con un huevo pasado por agua en una taza, una tostada con los bordes recortados en un plato y té. Como la señorita Hagerty aprecia la belleza, también le pongo un florerito con un pensamiento en una esquina.

Las ocho menos diez, llave en la puerta principal, la cocina cobra vida. Al mismo tiempo que Cuqui irrumpe en ella, papá y mamá bajan las escaleras a trompicones. Mis padres están aún en pijama, oliendo a sueño y, en el caso de papá, a enjuague bucal *Lavoris*.

—Buenos días —saludo.

—¡Buenos días! —canturrea Cuqui, siempre alegre.

—Buenas —mascullan papá y mamá.

Mamá se desploma sobre una silla de cocina.

—Hattie —dice—, ¿has preparado ya la bandeja de la señorita Hagerty?

Bueno, pues más bien sí. En este momento se la iba a llevar.

—Es muy trabajadora —comenta Cuqui. Ha abierto cuatro armarios, sacado el envase de huevos de la nevera y encendido un fuego de la cocina—. Como yo.

Me complace el comentario de Cuqui, pero no sé qué decir, así que no digo nada.

Mamá se queda mirándome:

—Podría ser un poco menos trabajadora y un poco más sociable.

Salgo ofendida de la cocina; me gustaría dar buenos zapatazos sobre la escalera pero temo derramar el té por toda la bandeja.

Llamo a la puerta de la señorita Hagerty.

—¿Tesoro? —dice en voz alta. Desde que la conozco (es decir, desde toda la vida, porque ya vivía en nuestra casa cuando yo nací) me llama tesoro. Cuando era pequeña pensaba que me llamaba así porque no podía recordar mi nombre, pero sólo a mí me llama de ese modo, así que me siento halagada porque ese nombre especial es sólo mío.

—Buenos días, señorita Hagerty —contesto—. ¿Puedo entrar?

—*Entrez* —replica pomposamente.

Sostengo la bandeja en una mano y abro la puerta con la otra. Soy la única persona que puede ver a la señorita Hagerty antes de que se ponga maquillaje. Y vérsela se la ve, vaya si se la ve. Está sentada con pulcritud en la cama, una gran montaña perfumada. Parte de la montaña es su sorprendente ropa de cama: sábanas florales, edredones florales y almohadones florales rematados con encajes, y mantas de lana tejidas por la señorita Hagerty y sus amigas. Duerme bajo la misma cantidad de ropa con 35 ó con 5 grados bajo cero. El resto de la montaña es la señorita Hagerty en persona. Se parece a su ropa de cama: suave y perfumada, una figura cuajada de flores.

Coloco la bandeja en su regazo porque prefiere desayunar en la cama. Descorro las cortinas, me siento en un sillón y paso la vista. Apenas hay un centímetro de espacio libre. La mesa de costura está hasta arriba de telas. De las cestas de costura rebosan encajes y cintas de bieses; botones y agujas y corchetes. Los otros muebles están cubiertos por frascos de perfume, pájaros de porcelana, cajas de madera y floreros de cristal.

Alineadas sobre el tocador con esmero hay doce fotos mías enmarcadas: una del día que nací y las demás de cada uno de mis cumpleaños. Me veo cambiar de bebé rollizo a niñita rolliza, de niñita delgada a niña delgada, veo cómo se aclara mi pelo hasta quedarse casi blanco, veo desaparecer los rizos y aparecer las trenzas. Creo que esa exposición fotográfica es un gran honor. La señorita Hagerty dice que es como si yo fuera su nieta. Y yo desearía que ella fuera mi abuela. Es mi deseo secreto porque abuelas ya tengo dos; pero la abuela vive en Kentucky y la veo muy poco, y Nana… bueno, Nana es Nana.

—Señorita Hagerty —digo cuando ella empieza el proceso de untar la tostada con el huevo previamente espachurrado en la taza—, ¿es malo ser tímida?

—Claro que no, tesoro. ¿Por qué?

—No sé —no puedo ni mirarla.

—Bueno, no te preocupes por los novios. Confía en mí, hasta las chicas tímidas consiguen novios.

Nada más lejos de mi pensamiento, pero… es fascinante. Casi tan fascinante como el hecho de que la señorita Hagerty, que nunca se ha casado, sea una experta en novios y maridos. Por no mencionar todo lo que sabe sobre peinados y maquillaje. Siempre me está dando consejos:

—Tesoro, esos agudos pómulos tuyos pueden suavizarse con un poco de colorete… justo aquí.

O:

—Mira, tesoro, cómo puede dar vida a tus ojos grises este perfilador.

Aún no me dejan maquillarme, pero yo tomo buena nota de sus consejos para cuando me toque ir al instituto.

Más tarde, al salir de la habitación con la bandeja en la mano, trato de imaginarme con novio. Podría ser como la Zelda Gilroy de la serie *Dobie Gillis*, o quizá como Thalia Menninger, porque Dobie no hace más que perseguirla últimamente. Y podría rechazarlo de vez en cuando, como hace Thalia. Sería feliz sentándome con Dobie en la cafetería. Es un poco viejo para mí, pero es guapísimo. Podría llevar faldas de vuelo y blusas con mangas amplias y cinturones anchos de charol, y me cardaría el pelo para que me quedara bien abultado y me lo sujetaría con una banda elástica rosa. En la cafetería pediríamos una sola bebida con dos pajitas y así los dos beberíamos del mismo vaso y todo el mundo que nos viera sabría que éramos novios. Sólo esperaba que Dobie hablara por los dos para que mi timidez no tuviera importancia.

Mientras llevo la bandeja por el pasillo, el señor Penny sale de su habitación con los pantalones arrugados, la camisa arrugada y su cara de por las mañanas.

Le digo:

—Hola, señor Penny —y sigo mi camino porque él no puede tener de ninguna manera una conversación normal con nadie hasta que se tome una taza de café.

Dejo la bandeja en la cocina y me encuentro con papá y mamá ya vestidos y espabilados desayunando en el comedor. El señor Penny se reunirá con nosotros más tarde, pero Ángela Valentine no. Ángela cuida su línea, y además es ambiciosa en su trabajo de secretaria en el banco y dice que causa buena impresión llegar antes que el jefe por las mañanas. Por eso entra como una flecha en el comedor, vestida como una de las chicas de Dobie Gillis. Sorbe, o más bien engulle, una taza de café y sale zumbando mientras me dice:

—¡Disfruta de tu primer día de vacaciones, Hattie!

Creo que Ángela es absolutamente maravillosa. Me gustaría ser su hermana pequeña, aunque sólo la conozco desde hace un mes.

Después de desayunar, todo el mundo empieza a moverse afanosamente de aquí para allá. El señor Penny, siempre con prisas, dice que debe ir al pueblo sin demora, de inmediato, que tiene muchísimo que hacer. La señorita Hagerty decide sentarse en el porche y hacer punto. Cuqui va a preparar la comida. Toby diAngeli aparece para ayudar a mamá a limpiar los dormitorios, y papá se va a trabajar a su estudio del tercer piso.

Mi padre es un artista. Tiene que pintar dos retratos por encargo para un amigo de Nana y del abuelo. Mi plan es quedarme tras él y mirar; papá jura que no lo pongo nervioso. Lo que más miro es su mano derecha y el pincel del final. Esa mano es tan importante para él que ha intentado asegurarla: es maravillosa. Manchada de tinta, cubierta de pintura, con las uñas rodeadas de mugre que sólo se quita con trementina, su mano ilumina el lienzo con pasadas de pincel y transforma esa capa blanca en una cara o en un camino campestre o en un cuenco de frutas, con profundidad, luces y sombras. Me siento como si contemplara a un mago.

A veces papá me da un pequeño lienzo para mí sola y pintamos juntos. Yo me decanto por el abstracto, si exceptuamos los caballos.

Mi padre casi siempre está haciendo algo interesante. Cuando no pinta trabaja en el jardín, o repara algo de la casa, o hace tarjetas de felicitación (sabe hacer hasta ésas que se abren en tres dimensiones), o saca fotos y las revela él mismo, o filma películas. Por eso se me suben los colores de la rabia cada vez que Nana dice que mamá podría haber aspirado a algo mejor. Según parece mi padre puede hacer todo lo que se proponga, pero, según Nana, ha mancillado nuestra familia por abrir una casa de huéspedes. Papá, sin embargo, dice que es afortunado porque esa casa, nuestra casa, le permite mantener a su familia y seguir con su carrera.

Subo corriendo las escaleras hasta el tercer piso, entro en el estudio y freno con tanta rapidez que he de agarrarme con fuerza al marco de la puerta para recuperar el equilibrio. He estado a punto de pisotear el trabajo de papá. Después de todo no está pintando.

—Oooh, ¿qué es esto? —digo—. ¿Otra película?

El año pasado papá estuvo varias semanas haciendo una película de animación titulada *Reina por un día*. En ella una reina de caja de cartón muy mala, con rizos en el pelo, persigue a su marido el rey por todo el castillo con la intención de matarlo. El rey, sin embargo, logra vencerla y le corta la cabeza. En ese momento la reina vuela al cielo con alas de ángel pero le hacen darse la vuelta y la mandan abajo para que sea consumida por rojas y anaranjadas llamas de papel. La película dura tres minutos y medio. La he visto un montón de veces. De hecho soy la única audiencia que ha tenido.

Miro lo que está esparcido por el suelo. No veo ninguna reina ni llamas ni alas de ángel. Lo que veo en su lugar son cientos de piezas de papel de varios tamaños, formas y colores. Mientras miro, mi padre coloca un pequeño círculo de papel azul a unos centímetros de un gran círculo de papel azul. Después toma un plano con su cámara de 16 milímetros.

—Se llamará *Abstracto* —responde papá—. Las formas van a moverse por toda la pantalla. Se ordenarán a sí mismas, formando diseños nuevos. Los colores se transformarán... —acerca el primer círculo al segundo círculo un poco más y coloca un diminuto punto azul en el cuadro.

Pienso en Nana. Nana quiere que papá tenga un trabajo de verdad, como el del abuelo. A ella le gustaría que papá fuera abogado u hombre de negocios, algo como es debido. Pero, ¿un artista? Y lo que es peor, ¿un artista que a veces hace cosas sabiendo que ni siquiera las va a vender?

Como si papá me hubiera leído el pensamiento dice, acercando las figuras otro poco:

—A propósito, Nana viene a comer hoy.

—¿Nana? —repito.

—Sí.

—¿Que viene a comer?

—Sí.

—O sea, ¿que viene aquí a comer?

—Sí.

—¿Hoy?

Papá me mira y sonríe.

—Sobreviviremos, Hattie.

No estoy tan segura. De repente me entran ganas de salir de casa. Miro el reloj. Las diez en punto. Es buena hora para mi paseo diario por el pueblo. Además tengo que pasar por casa de Betsy para despedirme. Si me entretengo lo suficiente con dichas actividades es posible que me pierda la comida familiar.

—Me voy a ver a Betsy —digo—. Hasta luego.

No sé si papá me escucha o no. Está concentrado en el punto azul.

Capítulo II

Sólo hay tres reglas en la casa de huéspedes (si no cuentas la prohibición de comer en el salón): 1. Los huéspedes deben pagar la renta el primero de cada mes, aunque caiga en domingo. 2. No se admiten mascotas (esta norma se estableció desde el día siguiente al fallecimiento de Simón). 3. Sólo se pueden recibir visitas del sexo opuesto en el porche o en el salón. Mamá dice que todas estas reglas son aplicables a mí, incluyendo la primera si decido vivir en casa después de cumplir dieciocho años. No sé si bromea o no.

Como no hay normas respecto a decirle a papá o a mamá adónde voy, suelo marcharme sin decir nada, aunque no tan a menudo como para que se les ocurra establecer una norma al respecto. La cuestión es que Millerton es un pueblo muy pequeño donde todo el mundo se conoce y todo el mundo cotillea. Casi siempre que vuelvo de mis paseos, mamá ya sabe dónde he estado. La señora Evans, que vive calle abajo, la habrá llamado para decir: "Acabo de ver pasar a Hattie"; y el señor Shucard, propietario de la Carreta de las Chuletas, la habrá llamado para informar: "Hattie va otra vez a la biblioteca"; y una hora después la señora Moore, la bibliotecaria, la habrá llamado para añadir: "Hattie acaba de sacar otros diez libros, Dorothy". Así que no tengo necesidad de decir a todas horas dónde voy.

Paso rápidamente por el vestíbulo del segundo piso para evitar que mamá o Toby, con sus aspiradoras en ristre, traten de endilgarme una a mí. Toby tiene que venir tres días a la semana para que la casa esté siempre limpia.

Nuestra casa es un "enigma", nueva palabra de mi vocabulario de sexto curso. Es la tercera más grande de Millerton pero nadie la considera una mansión; a la casa de Nana y del abuelo, la segunda más grande del pueblo, sí la consideran mansión. Nuestra casa era un revoltijo destartalado cuando papá y mamá la compraron justo después de casarse. Lo vi en una película que grabó papá en 1946; la casa parecía sacada de una historia de terror de Halloween. La pintura estaba descascarillada, las contraventanas torcidas, las ventanas rotas y faltaban tramos enteros de escalera. Había estado al borde de la demolición antes de que mis padres la compraran con el dinero que Nana y el abuelo les dieron por su boda. "Comprada por una canción", como le gusta decir a papá. Mis padres y sus amigos trabajaron para restaurarla y hacer de ella una casa de huéspedes donde la señorita Hagerty se mudó antes de que yo naciera.

Ahora es una casa muy bonita, pero no puede compararse con la grandiosa casa de los abuelos. Nuestra casa, según Nana, es un negocio, la suya es un hogar. En nuestra casa mamá ayuda a Cuqui en la cocina y a Toby con la limpieza, papá cuida del jardín y, cuando necesitamos ir a algún sitio, vamos en nuestro viejo Ford conducido por papá. En casa de los abuelos cocinan las cocineras, limpian las doncellas, cuidan el jardín los jardineros y el chófer conduce. Y no conduce un Ford usado, el cual, dicho sea de paso, Nana y el abuelo se ofrecieron a cambiar hace tres años por uno nuevo, pero papá se opuso frontalmente y le dijo a mamá en privado que no necesitábamos limosna.

Nuestra casa parece una cosa pero, al mismo tiempo, es algo más.

Cinco segundos después estoy al pie de las escaleras, cruzo la puerta de entrada y digo adiós a la señorita Hagerty, de cuyas agujas tintineantes mana una larga bufanda que se apila en su regazo. Corro por nuestro césped hacia la acera y bajo por la avenida Grant hasta la calle 66 donde vive Betsy. Como sospechaba, el Ford de la familia McGruder (igual que el nuestro pero en nuevo) está aparcado con las puertas abiertas en el camino de acceso. El coche está de bote en bote y aún así siguen saliendo McGruder tras McGruder de la casa con más bultos en las manos. Pienso en el capítulo de *I Love Lucy*, la serie de Lucille Ball, en el que Fred Mertz carga el coche de los Ricardo cuando van a California atando cajas y maletas en precarias pilas por todas partes, capó incluido. El interior del coche de los McGruder está lleno hasta los topes, excepto por un túnel a través del cual el señor McGruder puede echar un vistazo cuando mire por el retrovisor. La señora McGruder y Randy, el hermano mayor de Betsy, están ocupados atando objetos a la baca del techo. Y aún les quedan cosas por cargar esparcidas por el césped.

Todos los años pasa lo mismo. El día después de acabar el colegio, la familia de Betsy se marcha a pasar dos meses enteros a su casa de Maine. Siempre pienso que no serán capaces de cargar el equipaje, pero lo hacen, y se van, y no vuelvo a ver a Betsy hasta poco antes de empezar las clases. Betsy es mi mejor amiga (técnicamente mi única amiga), y nunca hemos pasado juntas las vacaciones de verano.

Betsy se pelea con dos maletas que saca por la puerta principal, dos más; me ve esperando en la acera, deja caer las maletas y me saluda con la mano.

—¡Hola! —grita—. No sabía si ibas a venir.

Pues bueno, en fin. He venido a despedirme de ella todos los años de nuestra vida, desde que teníamos cinco.

—Te he traído una cosa —digo sacando tres paquetes de chicle Bazoka del bolsillo de mis pantalones—. Guarda los envoltorios —añado.

—Los enviaré a ver qué regalo me mandan —contesta Betsy. Hace una pausa—. Me gustaría que vinieras.

Me miro los pies, miro el suelo.

—Ya lo sé. Lo siento.

Los últimos tres años los McGruder me han invitado a pasar el verano con ellos, y todas las veces se lo he agradecido y se lo he agradecido, pero he dicho que no. Mamá no lo entiende. Un viaje gratis a Maine. Dos meses de natación, de langostas, de excursiones y de abetos. Parece fantástico pero no quiero ir. Y tampoco quiero ir donde propone Nana (y lo ha propuesto los últimos cuatro años), un campamento de Vermont al que iba mamá cuando tenía mi edad. No digo que dichos viajes no sean interesantes pero yo lo que quiero es pasar el verano en Millerton: conversando con la señorita Hagerty, pintando con papá, caminando por el pueblo y leyendo mis pilas de libros de la biblioteca. Además, ¿y si enfermo? Nunca he salido de casa sin mis padres y no pienso empezar ahora. Mamá me dice:

—¿Y cómo vas a arreglártelas cuando tengas que ir a la universidad?

Pero yo prefiero no pensar en eso por ahora. Faltan muchos años. De momento quiero cosas seguras y familiares. Mi vida no será perfecta, pero es la que conozco.

Milagrosamente, los McGruder se las ingenian para meter su equipaje en el coche de manera que no vuelque antes de llegar a Southwest Harbor. Betsy y yo nos abrazamos, nos prometemos escribirnos cada día y agitamos nuestras manos como despedida hasta que el coche desaparece de la vista.

Me dirijo al centro del pueblo. Casi todos los días del verano sigo este mismo camino. No siempre a la misma hora pero sí por la misma ruta. Una calle después de la casa de Betsy giro a la izquierda y entro en la calle Nassau, donde se encuentran algunas de las casas más bonitas de Millerton. No son tan grandes como la nuestra pero son tan grandiosas como la de los abuelos. Mi preferida tiene una fuente en el centro del patio de entrada, un enorme Narciso que riega el mármol inferior día y noche.

Las magníficas casas dan paso a unas pocas casas pequeñas y de repente allí está el centro de Millerton. Echo un vistazo. Me gusta Millerton. Espero no tener que marcharme nunca.

Siempre paso en primer lugar por el lado este de la calle Nassau, así miro lo que ponen en el Cine Jardín. Últimamente, el señor y la señora Finch, los propietarios, ofrecen un festival de Shirley Temple, lo que en realidad no me interesa lo más mínimo. Ya no hay duda, está escrito en la marquesina: *Baby Take a Bow*. Vaya, hombre, tendré que esperar a que pongan otra cosa. De todas formas no tengo dinero. Probablemente Nana me invitaría, pero si fuera con ella tendría que ir vestida como para la iglesia, guantes blancos incluidos, lo que significaría no comer chocolate ni palomitas con mantequilla, y eso es un rollo.

Me alejo del cine ligeramente disgustada y diviso el primero de los anuncios en rojo y azul. Está clavado en el quiosco, junto al expositor de periódicos. Me parece ver la palabra "feria", por eso me acerco. Leo: ¡PRÓXIMA LLEGADA! ¡FERIA DE FRED CARMEL! UN FESTIVAL DE DIVERSIÓN. DESFILE: 25 DE JUNIO.

A media calle, me topo con otro. FERIA DE FRED CARMEL: ¡ATRACCIONES VARIADAS, JUEGOS, PREMIOS, BARRACAS DIVERSAS, COMIDA DE MUCHAS NACIONES DISTINTAS! LLEGADA EL 25 DE JUNIO.

Y en la calle siguiente, dos anuncios más. La Feria de Fred Carmel presenta: la mujer barbuda, el hombre tatuado, la mujer contorsionista (y muchos más). Habrá una noria, una montaña rusa, una casa de la risa y una mansión encantada.

Tengo que empezar a ahorrar, parece incluso más prometedor que el circo que vino hace dos veranos.

Miro el reloj. Son las doce y diez. (Mi reloj siempre marca la hora exacta gracias al señor Penny). Nana habrá llegado hace diez minutos. No quiero ir a casa pero el estómago me gruñe y no tengo dinero para comer en el pueblo. Encima, Cuqui hace hoy pastel.

Hundo las manos en los bolsillos y hago el resto del camino a todo correr. Saludo al señor Shucard de la Carreta de las Chuletas, al señor Hulit de la zapatería y a la señora Conroy de la Casa de Regalos. Saludo a Jack, que acaba de llegar con su carrito de helados Buen Humor a la esquina y le digo que quizá lo vea después. Cruzo la calle en la siguiente esquina y la señorita Julian, la primera policía de Millerton, vocea:

—¡Feliz verano, Hattie!

Giro a la izquierda y bajo por el otro lado de la calle Nassau, paso el despacho de abogados del abuelo y la biblioteca de ladrillo rojo. Estoy a punto de pasar corriendo frente a la mercería de Clayton cuando la señora Winterbotham sale y me agarra del codo.

—Encanto, Hattie, sé buena —dice— y dile a la señorita Hagerty que ya ha llegado la angora que encargó.

—Vale —digo. Sigo corriendo y llego a casa a las doce y veinticinco.

Busco señales de Nana. Ni una. No hay ningún coche a la vista. Lo mismo no ha llegado aún, o ha venido a pie.

Entro de puntillas y cierro la puerta sin hacer ruido. Estoy a punto de gritar hola cuando oigo hablar a mamá y a Nana en el salón. Hablan muy bajito.

—Temo que sea la muerte para Hayden —dice Nana.

Piso una tabla suelta y mamá y Nana levantan la vista bruscamente.

—Buenas tardes, Hattie —saluda Nana.

Capítulo III

Hola Nana! —contesto. Espero a que continúen hablando. ¿A qué Hayden se refieren: al abuelo o al tío Hayden? ¿Y cuál va a ser la causa de su muerte?

Nana hace como si no hubiera mencionado el tema de la muerte. Se levanta un poco vacilante, se apoya en el brazo de una silla y se alisa unas arrugas imaginarias de la falda.

—Bueno, Hattie, entonces ¿vas a comer con nosotros? —pregunta. Me percato de cómo observa mis pantalones cortos, mis sandalias, mi pelo sudoroso.

Le echo un vistazo a mamá; parece afligida. Sé que a ella no le importa lo que me ponga para comer, pero no quiere llevarle la contraria a su madre. En fin, no es así del todo. Mamá contradice los deseos de la abuela si se trata de cosas importantes como con quién te casas o en qué clase de casa vives. Pero cuando se trata de cosas pequeñas, mi apariencia a la hora de las comidas si Nana está presente, por ejemplo, mamá suele ceder. No lo entiendo. Supongo que ceder en estas pequeñas cosas es como hacer ofrendas de paz, pero ¿para compensar qué? ¿Llevar una casa de huéspedes u otra cosa, alguna cosa de adultos con la que no tengo nada que ver?

—¿Por qué no subes y te cepillas un poco el pelo, Hattie? —dice mamá por fin. Solución de compromiso. Trata de complacer a Nana sin provocarme una rabieta.

Lo hago muy, muy despacio, para demostrar que, después de todo, es una especie de suplicio. Cuando ya he terminado, bajo las escaleras de puntillas para ver si consigo escuchar a Nana diciendo algo nuevo sobre la muerte de Hayden.

A medio camino oigo las fuertes pisadas de papá detrás de mí. Disimulo, me apresuro y aparento que no espío.

—¿Qué tal por el pueblo, niña bonita? —me pregunta.

—Bien.

—¿Preparada para Nana? Adelante, yo te escolto —papá me agarra del brazo y bajamos juntos las escaleras.

Mamá y Nana han acabado de hablar y están sentadas a la mesa del comedor. Nana contempla la camisa manchada de pintura de papá (debió comenzar con los cuadros cuando me marché por la mañana), pero ya se ha resignado a no hacer comentarios al respecto. Sabe que puede pincharle hasta cierto punto y trata de contener su lengua. Papá trata de ignorarla. Se desliza en su silla y llena el vaso de agua.

Yo miro por la habitación. Hay seis servicios sobre la mesa; eso significa que la señorita Hagerty y el señor Penny van a comer con nosotros. Llegan unos minutos más tarde. La señorita Hagerty ocupa su puesto emanando perfume de lavanda. El señor Penny se sienta a toda prisa, mirando su reloj.

Bueno, en fin, somos una especie de grupo. Sé por qué viene Nana tan pocas veces a comer. Por una cosa: raramente vestimos de forma adecuada, según ella. Además, aunque Nana se siente en la cabecera de la mesa cuando nos visita (a menos que el abuelo también venga), no sale ninguna mágica doncella de la cocina ofreciendo discretamente diferentes fuentes y cuencos, y esperando con paciencia a nuestro lado hasta que nos servimos. Y ningún pequeño timbre está escondido bajo la alfombra al lado de su pie, un timbre con el que puede requerir, sin que se note, la presencia de la doncella en el comedor.

Mamá comienza a pasar fuentes y nosotros nos servimos. Al principio nadie dice ni pío. Nana nos observa. Somos demasiado conscientes de nuestros modales. ¿Estarán nuestras servilletas donde deben estar? ¿Tenemos que dejar una mano sobre el regazo todo el rato? El señor Penny revisa el servicio de la señorita Hagerty para comprobar si está usando el tenedor correcto. Reviso el plato de papá para ver dónde se supone que debo dejar el cuchillo cuando no lo estoy usando. Sé que hay reglas.

Nana se aclara la garganta y los demás pegamos un respingo.

—Bueno —dice—. ¿Tiene alguien planes interesantes para el verano?

No presto atención a las respuestas. Lo que me gustaría saber, en primer lugar, es por qué ha venido. Los abuelos vienen a comer muy pocas veces. Sospecho que la cocinera de Nana tiene el día libre, pero seguro que Nana sabe comerse las sobras sin ayuda, luego no es eso: hay otra razón, y creo que tiene que ver con eso que va a ser la muerte de Hayden.

Vuelvo a la pregunta inicial: ¿de qué Hayden hablaban? Es de suponer que se refería al abuelo, porque él está más cerca de la muerte que el tío Hayden, y mucho más cerca que nosotros. El tío Hayden, el hermano mayor de mamá, vive en California y apenas lo vemos.

Estoy pensando en los motivos que podrían causar la muerte súbita del abuelo cuando Nana pronuncia las palabras que me revuelven el estómago, provocan que se me caiga el tenedor, me quitan las ganas de comer y me obligan a prestar atención a lo que oigo:

—El Cotillón de Verano… —Nana, con su mejor voz teatral, prosigue— … y yo estoy en el comité de baile. Llevamos preparándolo toda la primavera. Esperamos que sea un acontecimiento extraordinario. El baile se celebra para niños de once y doce años.

Siento la mirada de Nana fija en mí, así que recupero el tenedor e intento pinchar exactamente un guisante con cada uno de sus dientes.

Mamá murmura:

—No juegues con la comida, cariño.

Dejo el tenedor.

—El baile se celebra el quince de julio por la tarde, Hattie —continúa Nana—. La víspera de tu cumpleaños. Creo que el cotillón es una forma estupenda de comenzar los festejos.

No contesto. Nana sabe muy bien lo que opino de los bailes.

Miro a papá en busca de apoyo: está sirviendo guisantes a la señorita Hagerty.

Miro a mamá en busca de apoyo:

—Te compraremos un vestido nuevo.

La señorita Hagerty resucita:

—¡Oh! ¡Oh! ¡Yo te lo hago! —grita—. Me encantará hacerlo. Quién sabe, tesoro, quizá encuentres un joven apuesto en el cotillón.

Uno de esos vestidos que llevan las chicas de Dobie Gillis no estaría mal; pero no podría bailar, ni aunque Dobie fuera mi pareja.

Le sonrío a la señorita Hagerty:

—Gracias —digo.

No pienso ir a ese baile de ninguna manera. Ya no fui al de Navidad porque tuve una inflamación de garganta, a Dios gracias, pero tuve que ir al del verano pasado (para niños de nueve y diez años) y fue una experiencia aterradora. Betsy no estaba, por supuesto, y durante la primera hora nadie me sacó a bailar, así que estuve sola, fingiendo que buscaba cosas en mi bolso y ayudando a los acompañantes en la mesa del ponche aunque nadie necesitara ningún tipo de ayuda, tratando de parecer útil en lugar de ignorada. Y durante todo aquel rato horrible Nancy O'Neil y Janet White les susurraban a los chicos con los que bailaban y me señalaban con el dedo. Durante la segunda hora uno de los chicos con los que Janet había bailado me sacó a bailar a mí, pero fue una especie de broma porque, cuando terminó, a Nancy y a Janet les dio tal ataque de risa que tuvieron que beber agua de la fuente para no ahogarse.

Nana me está mirando, espera que manifieste algún tipo de entusiasmo propio de una dama respecto a su cotillón.

Es la señorita Hagerty quien me salva cuando dice:

—Esta tarde miramos mis patrones, tesoro. Estoy pensando en un corte de talle bajo con fajín, cuello redondo y manga larga. ¿Organdí o tafetán?

—Vale —digo.

Después de comer, cuando estemos solas, le confesaré que no necesito el vestido, y ella lo entenderá. Siempre entiende las cosas.

El señor Penny, con mirada soñadora, dice que recuerda un baile del año de Maricastaña, lo que recuerda a la señorita Hagerty un antiguo pretendiente, lo que recuerda al señor Penny la Primera Guerra Mundial. Antes de darme cuenta, el cotillón ha sido olvidado y el tema de la muerte de Hayden, en apariencia, pospuesto.

Al acabar de comer me escabullo de la mesa con la mayor rapidez posible.

Capítulo IV

La mitad de las veces no sé si admirar a mi madre o enfadarme con ella. Supongo que debería admirarla por haberse enfrentado a Nana y al abuelo, y haberse casado con papá sin su aprobación. Papá, pintor, de una familia sureña de clase media, sin credenciales sociales dignas de mención. Pero había ido a Yale (con una beca) y mamá sabía que a Nana le hubiera costado rechazar un matrimonio Mount Holyoke-Yale. Mamá me había dicho que lo importante era que papá y ella estaban hechos el uno para el otro y que nada hubiera podido impedir que pasaran la vida juntos. Así que se casaron y se establecieron en Millerton, y Nana y el abuelo decidieron que podían soportar a su yerno. Cuando papá no pudo ganar lo suficiente con sus pinturas, mamá y él compraron la casa de la avenida Grant e hicieron de ella una casa de huéspedes. La boca fruncida de la abuela cada vez que pasa por delante es el perfecto reflejo de su opinión al respecto, pero mamá la ignora; excepto de vez en cuando, lo que ocurre el cincuenta por ciento de las veces.

Cuando Nana se va después de comer, mamá mira cómo se aleja, dice "buf" por lo bajito, saca un pañuelo del bolsillo y se lo pone en la cabeza para continuar ayudando a Toby a limpiar.

Me siento en el porche unos minutos. Tomo la decisión de dejar de preocuparme por el cotillón y por la muerte del abuelo. Paso el resto de la tarde haciendo lo siguiente: 1. Ayudando a Cuqui en la cocina, por lo que soy recompensada con un trozo de pastel de frambuesa. 2. Ayudando a mamá y a Toby con la limpieza. 3. Tumbándome en la cama y leyendo de mi pila de libros recién sacados de la biblioteca. 4. Llevando la bandeja de té a la señorita Hagerty y explicándole por qué no necesito un vestido nuevo de organdí de talle bajo. 5. Pintando con papá en su estudio.

Cuando papá anuncia que son las seis y es hora de cenar, me quedo atónita. Por eso me gusta el verano y por eso quiero pasarlo aquí. Todo el año espero estos días que se extienden interminablemente, estos días llenos de paseos, libros, pinturas y señorita Hagerty. Sin tareas escolares ni gimnasia ni bailes ni chicas insolentes y chismosas. Y, lo mejor de todo, al acabar el día aún queda la noche por delante.

Cenamos juntos mamá, papá, la señorita Hagerty, el señor Penny, Ángela Valentine y yo. Tan pronto como quitamos la mesa, miro esperanzada a la señorita Hagerty.

—¿Limonada? —pregunta.

—Cuqui y yo la hemos hecho esta tarde —añado yo.

Parece como si la señorita Hagerty quisiera aplaudir y saltar arriba y abajo. En lugar de ello, dice:

—Te espero en el porche.

—Hora de la limonada, ¿no? —pregunta el señor Penny casi sonriente.

Y Ángela Valentine, que se ha cambiado la ropa de trabajo y se desliza descalza por el comedor, me mira con interés.

—¿Hay limonada? —pregunta. Ángela es tan maravillosa que a veces me olvido de que sólo lleva un mes viviendo con nosotros.

—En verano —le informo—, desde mi primer día de vacaciones, tomamos limonada en el porche todas las noches después de la cena.

La verdad es que las únicas que tomamos limonada en el porche todas las noches somos la señorita Hagerty y yo. Mamá y papá se unen a nosotros raras veces, y el señor Penny sólo cuando le apetece. Me pregunto si Ángela Valentine querrá participar en estas veladas estivales.

Abro el refrigerador, saco la jarra de limonada hecha por Cuqui y por mí y la coloco en una bandeja con los vasos. La llevo cuidadosamente al porche. Le estoy sirviendo a la señorita Hagerty, al señor Penny y a Ángela cuando papá dice:

—¿Hattie? —me vuelvo. Papá está de pie en el interior, mirándome a través de la puerta mosquitera—. ¿Puedes entrar un momento?

Iba a decir que estamos a punto de tomar nuestra limonada pero el tono de papá me lo impide. No me ha pedido que entre, me lo ha ordenado.

—Vale.

Dejo mi vaso vacío.

Papá me conduce al salón, donde mamá espera sentada. Está muy, muy recta y muy, muy tiesa y parece insegura, como si posara para la foto del colegio. Aún estoy esperando en el umbral cuando dice:

—Hattie, tu padre y yo tenemos algo que decirte.

Me derrumbo en una silla. Decido que van a obligarme a ir al cotillón.

—Esto es muy serio —añade mamá, y decido que no, que no es eso: van a decirme por qué se muere el abuelo.

—¿Se trata del abuelo, verdad? —pregunto.

—¿El abuelo? —repite mamá—. No, es…

Mira a papá como pidiendo consejo. Papá le devuelve la mirada y se encoge de hombros, un encogimiento muy pequeñito.

—Supongo que deberíamos haberte dicho esto hace mucho tiempo, Hattie —continua mamá.

¿Qué? ¿Que deberían haberme dicho qué?

Mamá ha abierto las manos sobre el regazo y se toca los nudillos de la mano izquierda con el dedo índice de la mano derecha. Suspira.

—Tu tío Hayden y yo tenemos otro hermano —explica por fin—. Adam, tu tío Adam.

—¿Tengo otro tío? —pregunto. Qué interesante. Papá es hijo único y Hayden no se ha casado nunca, por eso creía que no tenía más parientes, aparte de mis abuelos. Siempre he tenido envidia de Betsy, que tiene un total de catorce tíos y cerca de treinta primos.

—Sí —contesta mamá, aún dando golpecitos a sus nudillos, aún sin mirarme—. Adam es el pequeño. Nació cuando yo tenía dieciséis años y el tío Hayden dieciocho.

Hago unos cálculos frunciendo el ceño.

—Entonces el tío Adam tiene sólo veintiuno o veintidós años —digo.

—Veintiuno —murmura mamá.

—¿Dónde vive? ¿Por qué no lo conozco?

Mamá se limita a retorcerse las manos y papá dice:

—Adam ha estado lejos, en un colegio. En Ohio. Desde los doce años.

—¿Desde los doce años? —estoy impresionada. ¿Quién va al colegio a los doce años y no vuelve? Hago un poco más de esfuerzo mental y me percato de que yo tendría uno o dos años cuando Adam se fue. Así que es probable que lo conozca, pero era demasiado pequeña para recordarlo—. ¿No viene a casa en vacaciones?

—Hattie —dice papá—, Adam… tiene problemas.

—¿Cuáles?

—No es como las demás personas —añade mamá.

—¿Por qué?

Mamá y papá cruzan otra mirada.

—Tiene… problemas mentales —papá dice las dos últimas palabras susurrando.

—Ha estado internado en un colegio especial —mamá también susurra.

—¿O sea, que es retrasado? —pregunto. Las cosas con mi familia son siempre igual. Hay que hacer veinte preguntas para enterarse de algo. Ojalá pudieran hablar sin tantos rodeos.

—Bueno, no exactamente —contesta mamá—, es sólo que no está del todo… bien. Tiene problemas de autocontrol. Es impredecible, errático.

—Los abuelos lo llevaron a un montón de médicos cuando era más pequeño —añade papá—. Algunos decían que era esquizofrénico, otros que era autista.

Esquizofrénico. Autista. No conozco esas palabras.

—¿Pero por qué no ha venido a casa en vacaciones?

—El colegio de Adam no es como el tuyo, Hattie —dice papá—. Él vive allí. Sus profesores saben cómo tratarlo.

—Pero —sigue mamá— su colegio está a punto de cerrar. Para siempre. Y Adam va vivir con los abuelos mientras le buscan otro colegio. El abuelo viaja mañana a Ohio. El viernes o el sábado volverá con Adam.

Me rondan unas ocho preguntas por la cabeza. Elijo una. Me parece más importante que mis otras preguntas sobre la enfermedad de Adam.

—¿Por qué nadie me había dicho nada de él? Quiero decir, hasta ahora —estaba segura de que nunca había oído su nombre.

Mamá y sus manos, apretando y retorciendo. Papá con aspecto de desear que las suyas rodearan un vaso de *Jack Daniel's*.

—Supongo que no lo consideramos necesario —dice mamá.

—No queríamos que te preocuparas —dice papá.

¿Preocuparme de qué?

Pasaban sobre el asunto como si hubiera un fuego y estuvieran descalzos.

¿No se darán cuenta de lo difícil que es ser su hija, de lo duro que es quedarse al margen y observar?

Bueno, en fin. Tendré que averiguar las cosas por mí misma. Supongo que pronto conoceré a Adam.

Esa noche apago la luz a las diez en punto. Estoy tumbada en la cama una eternidad, mirando por la ventana. El sueño no llega.

Pienso en mi nuevo tío. Adam. Trato de ponerle una cara.

Los relojes del señor Penny dan las once, luego las doce. Sigo completamente espabilada.

Por último bajo la escalera de puntillas y entro en el oscuro salón. Enciendo una lámpara y cruzo la habitación para dirigirme a la estantería donde están los álbumes de fotos. Hojeo mis favoritas: las fotos de cuando yo era pequeña.

Pero esta noche necesito álbumes diferentes, más antiguos. Antes no me interesaban, así que los he mirado poco. Ahora abro uno de desgastadas tapas negras. En él están los abuelos el día de su boda, después mamá y tío Hayden de niños. Es demasiado antiguo. Lo dejo y busco uno donde veo a mamá con toga y birrete. Es el día de su graduación en el instituto. Me voy acercando. Paso unas cuantas páginas y encuentro una foto de mamá y tío Hayden con un niño pequeño entre ellos. Tiene unos cuatro años y lleva gafas totalmente redondas con montura de carey. Está inclinado hacia delante ofreciendo una enorme sonrisa a la cámara.

No aparenta tener ningún tipo de problemas.

Saco la foto de su funda de plástico y le doy la vuelta. Con letra de mamá pone: "Hayden, Adam y yo. 1942".

En las páginas siguientes Adam crece con rapidez y se vuelve solemne por momentos. Se le ve a los cinco años, las gafas redondas difuminándole los ojos, al lado de un lujoso coche, con Nana y el abuelo. Un año después hay una foto de familia. Adam es el único que no sonríe. Tampoco mira a la cámara. Mamá, que está de pie detrás de él, apoya una mano sobre su hombro. Parece tensa.

¿Cómo sería Adam cuando era un bebé?, me pregunto. ¿Cómo era a los cuatro años, a los seis, a los diez?

Y, por novecientas y una mil veces esta noche, me pregunto por qué no me habían dicho nada de él. ¿Si no hubiera tenido que volver a casa por lo de su colegio, me habría yo enterado de algo alguna vez?

Si la existencia de una persona se guarda en secreto, ¿es esa persona real?

Imagino a Nana y al abuelo en su casa inmaculada. Trato de imaginarme a Adam en ella. Quizá los abuelos piensan que allí no encaja. Desde luego no parece formar parte del mundo perfecto que tanto le ha costado crear a Nana.

Yo tampoco soy perfecta pero, afortunadamente, no vivo con los abuelos.

Entonces me percato de que mamá sí ha vivido con ellos. Ella ha crecido en esa casa.

Ya tengo otra cosa en que pensar.

CAPÍTULO V

Hoy voy a conocer a Adam. Adam Mercer. Mi nuevo tío. El jueves por la mañana Charles, el chófer, llevó al abuelo a la estación de Nueva Libertad para que tomara el tren de las 6.43 a Cincinnati. Hoy, sábado, Charles vuelve a Nueva Libertad para esperar el tren de Cincinnati que llega a mediodía, y llevará al abuelo y a Adam (me cuesta pensar en él como en el tío Adam) a casa con Nana.

Papá, mamá y yo vamos a ir a cenar con ellos. Ya hemos servido la cena a Ángela Valentine, al señor Penny y a la señorita Hagerty, que esta noche tendrá que arreglárselas sola.

Es una tarde calurosa llena de grillos y cantos de pájaros, así que les pregunto a mis padres si podemos ir andando a casa de los abuelos. Después añado:

—Mamá, ¿cuánto hace que no ves a Adam?

Mamá está sentada frente a su tocador, dándose unos toquecitos de Chanel Nº 5 detrás de las orejas. Me mira a través del espejo, duramente al principio, con más dulzura después:

—¿Por qué lo preguntas?

Me encojo de hombros.

—No sé.

Mamá tapa el frasco de perfume.

—Hace mucho tiempo —dice.

Es el final de la conversación.

Veinte minutos más tarde salgo con mi vestido de verano rosa y blanco, el único con falda y con rositas alrededor del cuello, hecho especialmente para mí por la señorita Hagerty. Llevo también medias con liguero y mis zapatos blancos planos. (Mamá y Nana, de acuerdo por una vez, dicen que soy demasiado joven para llevar tacones). He metido los guantes en el bolso, por si Nana no apruebe mis manos desnudas.

Mamá, papá y yo cruzamos nuestro césped y giramos a la izquierda en la avenida Grant. Me preocupa un poco encontrarme con Nancy o con Janet; viven cerca y con toda seguridad no andan por ahí con sus padres vestidas como para ir a la iglesia. (Me alegro de llevar los guantes en el bolso y no en las manos).

Pasamos la casa de Nancy y la de Janet, y no nos topamos con ninguna. Me relajo. Pero entonces llegamos a casa de los abuelos y, de repente, me empieza a latir el corazón a cien por hora.

Estoy tratando de decidir si lo digo o no lo digo cuando la puerta se abre de golpe y alguien grita:

—¡Dorothy! ¡Jonathan! ¡Y Hattie! ¡Oh, jou, jou, jou!

Una figura se impulsa a sí misma hacia fuera y corre a nuestro encuentro. Casi choca con mamá antes de encerrarla en un abrazo de oso. Para sorpresa mía, mamá dice cariñosamente:

—¡Hola, Adam!

—¡Hola, Dorothy! ¡Hola Dorothy! ¡Cielo, estoy en casa!

Nunca había oído hablar a nadie tan deprisa. Y allá que va, un tornado de palabras:

—Jonathan, Jonathan, ¿estás cansado tirando a apático? Quizá necesites *Vitamegavitamín*, un producto comercial de calidad.

Mamá ríe.

—Adam, despacio. ¿Has estado viendo *I Love Lucy*?

—Oh, sí, sí, *I Love Lucy*, una serie entretenida en verdad. Lucy y Ricky y Fred y Ethel y todos sus percances y contratiempos. ¡*Vitamegavitamín*, oh, jou, jou, jou!

Oyéndole me quedo sin resuello.

Mis padres sonríen.

—Adam, ¿te acuerdas de Hattie, verdad? —pregunta papá.

Le tiendo la mano pero Adam la ignora y me da uno de sus abrazos de oso.

—Mi vieja amiga, mi muy, muy vieja amiga, Hattie Owen, ¿cómo estás?, ¿cuántos años tienes? Qué cumpleaños es Ethel oh es el mío quiero decir que cuántos años cumples ya sabe lo que quieres decir Ricky Ricardo y me sorprendes no es delicado preguntarle la edad a una dama.

Adam es sin lugar a dudas la persona más rara que he conocido en mi vida, pero sonríe y nos hace sonreír a los demás. Mi corazón ha dejado de sonar como un tambor y ya sólo me siento un poco aturdida. Mareo de mañana de Navidad.

Adam se da la vuelta y corre hacia la casa haciendo aspavientos para que lo sigamos. Tenemos que correr para entrar con él.

—Ermaline ha preparado rosbif tierno *au jus* con suculentas judías verdes, patatas a las finas hierbas y para postre, flan —informa Adam a velocidad supersónica.

Intento recordar si es un menú de *I Love Lucy*.

—Adam, Adam, cálmate —Nana llega con prisas al vestíbulo, el abuelo le pisa los talones. La abuela pone la mano sobre el brazo de Adam—. Cálmate —repite.

Adam cierra la boca de golpe como si su madre le hubiera dicho: "¡Cállate!".

Un segundo después vuelve a abrirla:

—Hattie, Hattie, llevo mucho tiempo esperando volver a verte. Ha pasado tanto tiempo, tanto, tanto, demasiado. La última vez que te vi tenías dos años, no, ni siquiera dos, dos no, eras sólo un bebé, un completo bebé, Hattie.

El abuelo interrumpe:

—Vamos a sentarnos, todos. Sherman nos traerá algo de beber.

—¡Oh, jou, jou, jou! ¡Bebidas! ¡Qué gran idea! —exclama Adam.

La mía, ya lo sé yo, será un *Shirley Temple*.

El abuelo nos conduce al gran salón. Todos nos sentamos en sillas y yo voy a parar al lado de Adam. Advierto que nos sentamos con evidente cautela, como si fuera a romperse algo. Y no quiero decir que fueran a romperse las sillas pero... no sé lo que quiero decir.

Ahora que está sentado, Adam guarda silencio. Abre una revista y comienza a leer en voz alta muy despacio.

Lo estudio. Es pequeño, sólo un poco más alto que yo, y delgado. Pero es fuerte, puedo apreciar los músculos de sus antebrazos. Y está en tensión, está tenso hasta cuando sonríe. Su cara está tan tirante que parece que se le va a escapar de la cabeza, pero, aparte de eso, tiene buen aspecto. Tiene dos ojos, una nariz y una boca, todo en su sitio. En realidad, se parece un poco al abuelo, excepto que deja la boca abierta mientras lee y le brillan los labios a causa de la saliva; y porque empuja una y otra vez las redondas gafas de carey sobre el puente de su nariz, aunque no se le resbalen lo más mínimo.

Sherman hace acto de presencia con una bandeja de bebidas en la mano.

—Adam —dice Nana—, deja la revista, por favor.

Adam deja caer la revista a sus pies y Sherman le tiende una bebida. Él la mira, se inclina hacia mí y susurra:

—Siempre me dan un *Shirley Temple*. ¿A ti qué te han dado?

—¡Un *Shirley Temple* también!

—Sí, es lo establecido, es lo establecido cuando eres un niño, pero yo no soy un niño, pero ¡a quién le importa! ¿Cuántos años dirías que tienes tú, Hattie?

No tengo que contestar porque el abuelo está de pie en medio de la habitación, con su vaso al frente. Con la otra mano en el bolsillo, estirado e incómodo, dice:

—Propongo un brindis. A la salud de... a la salud de esta maravillosa ocasión en la que todos estamos juntos.

Me pregunto por qué no se ha limitado a decir: "A la salud de Adam".

Levantamos nuestros vasos y bebemos un sorbo. A renglón seguido Adam sumerge la mano en su vaso con la intención de dar caza a la cereza que se esconde entre los cubitos de hielo.

Lo único que sé es que no es una buena idea.

En absoluto.

—¡Adam! —gruñe Nana.

La mano de Adam sale volando del vaso rociándome de *ginger-ale*.

Nana empieza a levantarse pero yo digo:

—No pasa nada. No importa —miro a Adam—. Como hace calor... esto da fresquito.

La cara de Adam, fruncida, preludio de un gran berrinche, se ilumina.

—¿De verdad?

—De verdad. Pero no lo hagas otra vez —le susurro mirando de reojo a Nana. Entonces añado en voz alta—: Voy a cumplir doce años.

—¡Doce! ¡Doce años! ¡Fíjate!

Ermaline ha entrado sin hacer ruido y le susurra algo a Nana. Cuando se va, Nana y el abuelo empiezan a hablar sobre unos amigos de mamá que están atravesando un escandaloso divorcio. Mamá y papá observan con disimulo a Adam, y Nana sigue preguntándoles cosas, tratando de atraer su atención. Ya he visto eso antes. Es el muy efectivo y muy irritante método de Nana para no mencionar al elefante del salón. Pero ¿por qué considera que Adam es un elefante? ¿Por qué no puede ser únicamente su hijo?

No estoy interesada en el escandaloso divorcio, que probablemente ni siquiera es tan escandaloso. Le doy vueltas a mi bebida, cruzo los pies, descruzo los pies.

Empiezo a sentirme de lo más incómoda cuando Adam se vuelve hacia mí y me dice:

—Sé cuando es tu cumpleaños, Hattie, lo sé. Es en julio, el dieciséis de julio. Recuerdo el día que naciste. ¿Qué vas a hacer el día de tu cumpleaños, Hattie? ¿Vas a dar una fiesta? El cumpleaños de Ethel no ha ido bien, nada bien, ella y Lucy se han peleado.

—No sé qué voy a hacer —contesto. Ahora mismo estoy más interesada en encontrar el modo de pescar mi propia cereza sin montar un número—. En realidad no tengo suficientes amigos para hacer una fiesta.

—¿Que no tienes suficientes amigos? Oh, Hattie, Hattie, eso no es posible, no lo es.

—Pero es la verdad. Sólo tengo una amiga: Betsy, y se va todos los veranos.

¿Por qué le estoy contando todo esto a Adam?

Él me mira con intensidad; raramente me presta tanta atención un adulto, con excepción de mis padres y de la señorita Hagerty. Aunque Adam no parece exactamente un adulto.

—Bueno, este verano tu cumpleaños tiene que ser especial, especialísimo. ¿Qué quieres para tu cumpleaños, Hattie, qué clase de regalo?

Estoy pensando en ello cuando reaparece Sherman para anunciar que la cena está servida. Todos nos levantamos y los adultos enfilan hacia el comedor. Adam y yo nos quedamos atrás.

—¡Ahora, Hattie, saca la cereza ahora! ¡Ahora, mientras aún estás a tiempo! —dice Adam con un fuerte susurro.

Eso hago y, entonces, Adam me agarra con gentileza por el codo y me acompaña a mi sitio en la mesa.

Hay un silencio total mientras Ermaline da la vuelta y espera a que cada uno de nosotros se sirva rosbif, judías verdes y patatas de las fuentes. Cuando se va, dejo escapar un suspiro de alivio.

Empezamos a comer. Adam come a la misma velocidad que habla. No puedo dejar de mirarle. Está sentado frente a mí y yo contemplo con fascinación cómo se embute tenedor tras tenedor de comida en la boca. Además, se le olvida cerrarla mientras mastica.

Nana también lo mira. Finalmente dice:

—Adam, ¿qué hablamos esta tarde? Despacio, por favor.

Adam fulmina a su madre con la mirada. En rápida sucesión engulle cuatro bocados más de rosbif sin quitarle los ojos de encima.

—Adam, modales de fiesta —dice Nana en voz baja.

Adam estampa un puño contra la mesa y cada pieza de plata y de porcelana salta. Yo también.

—Adam, modales de fiesta —repite Adam exactamente en el mismo tono de Nana, pero veo que, después de eso, se tranquiliza.

Además se calla.

Qué aburrimiento; los adultos discuten sobre un espectáculo que han estrenado en Nueva York. Nana y el abuelo hablan demasiado deprisa.

Miro a Adam con la esperanza de que siga preguntándome cosas sobre mi cumpleaños, o de que me diga por qué piensa que soy una persona que aparenta tener un montón de amigos.

Pero el rostro de Adam se ha ensombrecido. Más tarde, cuando el postre está servido, sujeta el plato con ambas manos y sorbe el flan como si se tratara de la leche sobrante de un bol de cereales.

El abuelo se pone en pie.

—¡Bueno, ya está bien! Adam...

Adam no quiere oír ni una palabra más. Retira la silla de la mesa y se marcha a su habitación dando zapatazos, haciendo exactamente lo que yo hubiera querido hacer al salir de la cocina la otra mañana.

Es la última vez que veo a Adam en su primer día en casa.

Capítulo VI

Nuestra familia no es muy de ir a la iglesia. Es decir, no lo somos ni mis padres ni yo. Nana y el abuelo son otra cosa. Ellos van todos, pero que todos los domingos. Si hace buen tiempo van a pie, lo que significa que pasan por delante de nuestra casa. Por eso el domingo siguiente no me sorprende verlos, vestidos con sus trajes de iglesia, a las nueve y media. Pero sí me sorprende que se paren y se dirijan a nuestro porche, y me alegro de que Adam esté con ellos, o más bien detrás de ellos, arrastrándose cansinamente. Abro la puerta mosquitera.

—¡Hola! —digo.

Adam espabila y se cuela a empujones entre Nana y el abuelo.

—¡Hattie! ¡Hattie! ¡Buenos días! —contesta a voces—. ¡Buen día de domingo!

Viste una camisa de algodón verde pálido de manga corta, una pajarita rojo chillón, pantalones de lana bien planchados y zapatillas con calcetines blancos. Los calcetines blancos van bien con las zapatillas, pero quedan horrorosos con los pantalones de invierno. La noche pasada Adam llevaba su bonito pelo ondulado peinado con raya a un lado. Esta mañana se ha hecho la raya en medio y se lo ha alisado con gomina.

—Buenos días —respondo.

Mamá se reúne conmigo en el porche.

—Vaya… buenos días a todos —saluda. Ve a Adam y arquea las cejas.

—Dorothy —le dice Nana—, tenemos que estar en la iglesia dentro de media hora y Adam no quiere venir con nosotros. ¿Puede quedarse aquí?

Mamá mira a su hermano.

—No, no gracias, no quiero ir, no quiero iglesia. Iglesia no, muchas gracias —dice Adam.

—Pero bueno, ¿por qué no se ha quedado en casa? —pregunta mamá.

Papá aparece al otro lado de la puerta mosquitera.

—¿Qué pasa?

—Vamos dentro —susurra mamá a Nana y al abuelo, como si Adam no estuviera a medio metro de ella.

Nana y el abuelo siguen a mamá al interior de la casa. Adam se queda mirándome.

—¿Dónde está la señorita Hagerty? —pregunta.

—¿La señorita Hagerty? ¿La conoces? —digo yo.

—Sí, oh sí, adorable dama, adorable dama en verdad. ¿Aún vive aquí? Oh, quizá haya muerto, quizá haya pasado a mejor vida, quizá nos haya dejado, debe de tener ochenta años, quizá noventa, quizá más de noventa.

—¡Por Dios bendito, todavía me queda mucho para llegar a los noventa, joven! —la señorita Hagerty sale presurosa al porche, aferrando su bolsa de hacer punto.

—¡Señorita Hagerty, señorita Hagerty, oh, jou, jou, jou! ¡Está usted aquí! Dijeron que estaría pero yo tenía que verlo con mis propios ojos.

Adam le da uno de sus abrazos y ambos se sientan en el balancín.

—¿Conoces también al señor Penny? —le pregunto a Adam. Esto es fascinante.

—El señor Penny, el señor Penny, vaya, por supuesto que conozco al señor Penny, el Conejo Blanco, tarde, siempre tarde, mirando la hora, reparando sus relojes. Tarde, tarde, tarde y con prisas, con prisas, con prisas. ¿Dónde está? Francamente señora Ricardo sufre usted un terrible terrible ataque de cotorrismo. ¡¡Cotorrismo?! Qué clase de enfermedad es ésa doctor bueno nosotros los médicos no sabemos mucho sobre ella pero hay una terrible epidemia en los últimos tiempos…

Me apresuro a interrumpir a Adam antes de que se desmande por completo.

—¿Te gustaría ver también al señor Penny? Está en el piso de arriba. Puedo ir a buscarle.

—¡Sí, oh sí, cuán estupendo, estupendo, estupendo!

Cuando me pregunto si la señorita Hagerty se las arreglará bien a solas con Adam, ella levanta la mirada del punto y le dice:

—Bueno, pues cuéntamelo todo.

Intento ir corriendo a la habitación del señor Penny, lo intento de verdad, pero no puedo evitar pararme un momentito a escuchar lo que se dice en el salón.

—Adam no es un niño, madre —protesta mamá—. Tiene casi veintidós años. ¿No puede quedarse solo en casa?

—Es tu hermano, Dorothy —dice el abuelo—. ¿Es que no es bienvenido en esta casa?

—Claro que es bienvenido. No se trata de eso. Que venga cuando le apetezca. Es sólo que no entiendo por qué... ¿no crees que Adam es un poco mayor para necesitar niñera? Después de todo es un adulto.

—Sé muy bien la edad que tiene —contesta Nana—, pero aún es demasiado pronto para dejarlo solo. Todo esto es nuevo para él.

Mi madre deja escapar un suspiro.

Oigo que el abuelo dice:

—La iglesia empieza dentro de veinte minutos.

Papá interviene:

—Será estupendo que se quede esta mañana.

Me alejo del salón y corro escaleras arriba. Llamo a la puerta del señor Penny y le digo quién está abajo.

—Dice que quiere verle —añado.

—¡Adam Mercer! ¡No me digas! Enseguida bajo.

Llego a la planta baja cuando Nana y el abuelo están a punto de irse.

—¡Un momento! —dice papá de pronto—. Voy a por la cámara.

—Que vamos a llegar tarde, Jonathan —protesta el abuelo.

Mi padre ya está cruzando el recibidor, diciendo que hace un día precioso y que Nana y el abuelo están muy guapos con sus trajes de domingo.

Minutos después Nana, el abuelo, Adam, mamá, la señorita Hagerty y yo posamos en los escalones del porche, bizqueando bajo el sol.

—¡Un saludo a la cámara! —grita papá, y nosotros lo hacemos, todos excepto Adam, que parece haberse quedado sordo de repente y lo único que hace es seguir bizqueando.

Nana y el abuelo se van a toda prisa.

—Volveremos a buscarte en un par de horas, Adam —dice el abuelo.

—Acuérdate: modales de fiesta —añade Nana.

Mamá y papá se quedan charlando con Adam, con la señorita Hagerty y conmigo hasta que llega la hora de preparar la comida. Cuando se van, miro agradecida a la señorita Hagerty. No sé cómo me hubiera sentido o de qué hubiera hablado con Adam si nos hubieran dejado solos. Pero la señorita Hagerty charla por los codos. Y yo me alegro.

Cuando la señorita Hagerty le pregunta a Adam algo sobre *I Love Lucy*, el señor Penny aparece en el porche. Adam se pone en pie de un salto.

—¡Aquí está! ¡Aquí está! El señor Penny, mi querido amigo, cuánto tiempo ha pasado. ¿Qué tal su tienda?, ¿cómo están sus relojes?, ¿cómo están sus cucús?

Las comisuras de los ojos del señor Penny se arrugan un poco, lo cual en él equivale a una sonrisa.

—Bueno, la tienda está cerrada, Adam, pero los relojes gozan de buena salud.

Me pregunto si, al reencontrarse con esta gente después de tantos años, Adam no se sentirá como Rip Van Winkle.

—La tienda está cerrada, ahora está cerrada, ¿no? Vaya, vaya cosa. ¡Caramba, caramba, caramba!

La señorita Hagerty y el señor Penny le hablan con calma, y poco después me doy cuenta de que Adam ya no parlotea tan rápido. Todo en él se tranquiliza. Cuando el señor Penny le habla sobre el reloj del abuelo y sobre lo bien que le doy cuerda todas las semanas, la señorita Hagerty mira la hora y empieza a luchar denodadamente para levantarse:

—¡Válgame Dios! —exclama—. Tengo que ir a la iglesia, Adam. Siento tener que interrumpir nuestra charla.

La señorita Hagerty es presbiteriana de Millerton. Nana y el abuelo son episcopales. (Mamá y papá los llaman "presbis" y "epis" respectivamente). El servicio religioso de los presbis se celebra más tarde que el de los epis. Mamá y papá dicen que nosotros podemos celebrar nuestro servicio siempre que queramos enviándole mensajes a Dios, para lo cual tampoco necesitamos acudir a ningún edificio especial construido al efecto.

La señorita Hagerty se marcha con otras dos ancianas que han venido a buscarla en un Chrysler marrón. El señor

Penny vuelve a su cuarto. Adam y yo nos quedamos solos en el porche. Me percato de que me mira fijamente.

—Hattie —dice por fin, pensativo—, creo que tú eres una de esas personas que pueden levantar los rincones de nuestro Universo.

Una leve sonrisa se extiende por mi cara. Me siento muy halagada, aunque no tengo ni la más remota idea de lo que quiere decir.

—Bueno, gracias. Yo… —empiezo.

—Buenas, Hattie —me interrumpe una voz soñolienta desde el otro lado de la puerta mosquitera.

Ángela Valentine está ahí de pie, con un vestido de verano blanco, adorable y medio dormida. Nunca he conocido otro adulto que duerma tanto como Ángela Valentine los fines de semana.

—¡Hola! —contesto—. Ángela, éste es Adam. Es mi tío.

Adam, que se había girado para mirar a Ángela, se pone en pie de un salto y sufre un ataque de movilidad desenfrenada: se frota las manos en los pantalones, arrastra los zapatos por el porche, se sube las gafas por el puente de la nariz y extiende el brazo con la intención de estrechar la mano de Ángela atravesando la tela metálica de la puerta mosquitera.

—Adam, ésta es Ángela Valentine. Hace un mes que vive aquí —digo—. Trabaja en un banco y algún día se irá a trabajar a una gran ciudad como Filadelfia o Nueva York.

—¡Huy, huy, oh, huy, oh, muy bi-bi-en! —tartamudea Adam. Tiene la cara roja como un tomate—. ¡Jou, jou!

Se inclina hacia delante para abrirle la puerta a Ángela y la empuja varias veces antes de darse cuenta de que debe tirar de ella. Entonces la sostiene con una mano y con la otra conduce trémulamente a Ángela al porche.

—Gracias —dice ella con voz ronca—. ¡Dios, qué calor hace hoy!

Se dirige a la barandilla a paso de tortuga y mira hacia la avenida Grant. Está descalza y huele a champú y a pasta de dientes.

Adam es incapaz de quitarle los ojos de encima.

—Tú trabajas en un banco, trabajas en un banco, ¿no? —de pronto vuelve a ir a toda velocidad—. Lucy mira lo digo en serio no sé qué te ocurre todos los meses pero cada mes tu cuenta corriente está en números rojos, ¿por qué razón?

Ángela Valentine parece confundida un instante, después se ríe.

—¡Oh! Eso es de *I Love Lucy*. Del capítulo en el que Lucy y Ethel empiezan a trabajar en la fábrica de chocolate, ¿no?

Adam sonríe encantado.

—Sí, oh sí. De ése es. Es uno de los mejores, uno de los mejorcísimos.

Ángela bosteza.

—Supongo que me he perdido el desayuno, ¿verdad, Hattie?

Quiero a Ángela, la quiero por haber disimulado que no hay nada extraño en Adam.

Digo que sí.

—Pero en cuanto venga la señorita Hagerty de la iglesia comeremos.

—De acuerdo —Ángela vuelve a entrar en casa—. Encantada de conocerte, Adam. Hasta pronto.

—Sí, hasta pronto —repite Adam como un eco. Se recuesta contra la puerta mosquitera y contempla a Ángela hasta que ésta desaparece en el pasillo de la primera planta. Entonces empieza a marchar por el porche arriba y abajo.

—¡Caramba, caramba! ¡Chico, oh chico, oh chico, oh chico! Huy, Hattie, Hattie —dice sin mirarme—, ¿cuándo fue la última vez que subiste a un tren? Un tren, Hattie. Hay coches-cama, ya sabes, con literas, y comida bastante buena, buena comida la de los trenes, Hattie —Adam sonríe, exaltado.

Lo miro. Adam también tiene algo de tren, así disparado sobre las vías. En cualquier momento, sin embargo, puede frenar bruscamente con un chirrido. Lo sé porque lo vi la noche pasada, en la cena.

Pienso en la cena, en Adam, en sus cambios de humor, y advierto que dice:

—¡Oh, jou, jou, jou, Hattie! ¿Son amigas tuyas?

Me pongo en guardia con una sacudida y miro hacia la calle. Ahí están Nancy y Janet, vestidas con faldas y blusas ligeras, con libros de bolsillo en los brazos, seguramente vuelven de la iglesia. Se han parado en la entrada del jardín, tomadas del brazo. Observan a Adam boquiabiertas.

—¡Buenos días, buenos días! ¿Cómo va todo? ¿Qué tal un refresco? Tenemos una limonada excepcional, limonada vigorizadora, recién exprimida en la cocina campestre.

Nancy y Janet se cubren las bocas con las manos, lo que no impide en absoluto que se oigan sus risitas. Se me ocurre que no les cunde mucho lo de ir a la iglesia. Se dan la vuelta y echan a correr. Oigo sus risas hasta que doblan la esquina.

Adam se deja caer en una silla. Me mira. Creo que está a punto de echarse a llorar. En lugar de eso me obsequia con una sonrisa y dice:

—Y allá que se fueron haciendo pi, pi, pi, todo el camino de vuelta a casa.

Capítulo VII

Desde el día que supe que Adam venía he estado más ocupada de lo habitual. Hoy, por fin, tengo tiempo para conversar con mis amigos del pueblo. Me siento un poco con el señor Shucard en la Carreta de las Chuletas y él me deja marcar la compra de dos clientes en la caja registradora. El señor Hulit tiene un montón de trabajo en la zapatería, así que no me quedo mucho, pero la señora Conroy tiene un día tranquilo.

—¿Puedo ayudarla en algo? —le pregunto, y ella me tiende una caja llena de animales de porcelana a los que hay que pegar las etiquetas con el precio en la parte de abajo.

Cuando salgo de la Casa de Regalos veo a Jack en su esquina habitual. Compro helado de fresa y lo pongo al día sobre mi nuevo tío.

—Va a pasar aquí todo el verano —le informo—, así que es probable que se lo encuentre.

Jack, por supuesto, ha oído hablar de Adam. No hay una sola persona en Millerton que no haya oído hablar de Adam.

Bajo otra vez por la calle. Los carteles de la Feria de Fred Carmel están por todas partes, anunciando algodón de azúcar y mujeres barbudas y atracciones diversas y premios y más, mucho más, y yo no puedo esperar hasta el sábado de ninguna manera.

Hay una regla de no-beber-ni-comer en la biblioteca, cosa que tiene sentido, así que me acabo el helado antes de entrar a ver a la señora Moore. Cuando salgo llevo en los brazos un montón de libros de Betsy y Eddie, y también de Betsy y Tacey, y pienso un poco en lo afortunada que debe sentirse Betsy McGruder con su nombre. No conozco un solo personaje de novela que se llame Hattie.

Cuando voy deprisa por Grant con mis libros veo que alguien me hace señales frenéticamente desde nuestro porche: Adam.

—¡Hattie! ¡Jou, jou! —grita.

—¡Hola, Adam! —contesto—. ¿Qué...? —estoy a punto de decir: "¿Qué haces aquí?", pero me parece que suena antipático, así que en lugar de eso digo—: ¿Dónde está Nana? ¿Ha venido también?

—Nana, Nana, no, no, no. He venido solo, solo en verdad. Para dar un paseíto y para ver a la adorable señorita Ángela Valentine. ¿Está?

—¿Ángela? —repito—. No, está trabajando. Trabaja en un banco, ¿te acuerdas?

—Sí, oh sí, como el cajero de *I Love Lucy*. ¿Qué llevas ahí, Hattie? ¿Qué es todo eso?

—He ido a la biblioteca.

Le estoy enseñando mis libros a Adam cuando suena el teléfono.

—¡Yo contesto! —grito. Aunque no sé por qué me molesto en emocionarme: desde que Betsy se marchó las llamadas nunca son para mí—. Vuelvo enseguida —le digo a Adam.

Corro dentro y descuelgo el teléfono del recibidor.

—¿Hattie? —dice la voz de Nana—. ¿Está Adam ahí? —parece que le falta la respiración.

—Sí. Está…

—¡Ay, gracias a Dios!

—¿No sabías que estaba aquí? —pregunto.

—¡No! Se ha ido sin decirme nada. Ni siquiera estaba segura de que recordara el camino a vuestra casa.

—Bueno, pues aquí está. No sé desde cuándo. Acabo de venir del pueblo y me lo he encontrado en el porche.

—¿Puedo hablar con él, por favor?

Ay, ay. El tono de voz de Nana me recuerda a Adam con la mano sumergida en el vaso.

Lo llamo y escucho cómo acaba la conversación:

—¿Sí?… Sí… De acuerdo… Pero si conozco el camino como la palma de mi mano, como la palma de mi mano —todo muy tranquilo, pero después—: No tengo por qué decirte nada… ¡No, no pienso volver! Ahora no, Hattie está enseñándome sus libros… ¡No soy un bebé, madre!

Adam intenta estampar el teléfono contra el suelo, pero el cable no llega. Lo deja colgando y sale al porche dando un portazo.

Levanto el auricular.

—¿Nana? Estaba pensando si podría quedarse Adam un poco más. Vamos a comer pronto y después puedo acompañarle a casa.

—De acuerdo —gran suspiro de resignación. Pero hay algo más en ese suspiro: alivio, quizá.

Así que Adam se queda a comer. Se disgusta porque Ángela no viene a la hora de la comida, pero se recobra y parece disfrutar el tiempo que pasa con mamá, con papá, con la señorita Hagerty, con el señor Penny y conmigo.

Después de comer, él y yo nos sentamos en el porche; ahora está serio y pensativo. Sus cambios de humor son como los naipes de una baraja que alguien mueve continuamente: decenas de cartas, una detrás de otra, barajadas a toda velocidad hasta que se desdibujan.

—Todo el mundo pasa por delante de tu casa, Hattie —dice al cabo de un rato, contemplando la avenida Grant.

—Lo sé. Por eso a veces odio nuestro porche —cuando Adam me mira atentamente me apresuro a añadir—: Quiero decir, bueno, que en realidad no odio nuestro porche…

—Puedes odiarlo —dice Adam.

—Bueno. A veces lo odio.

Adam se limita a mirarme, esperando.

—Algunos días —digo— me siento como si no fuera de ese mundo. De ese mundo de ahí fuera —señalo la avenida—. La gente pasea por nuestra calle, conduce por nuestra calle, pasa en bicicleta por nuestra calle y todos ellos, incluso los que conozco, podrían ser de otro planeta. Y yo me siento como un visitante alienígena.

—Y los alienígenas no son de ninguna parte —acaba Adam por mí—, excepto de los pequeños rincones del Universo.

—Así es.

Más tarde, Adam se alegra de que lo acompañe a casa. Enlaza su brazo con el mío y canta:

—Ooooh, las cebras comen avena y las liebres comen avena y los corderitos comen hiedra —deja de cantar antes de llegar a la puerta de entrada—. Me has contado uno de tus secretos, Hattie; yo te diré pronto uno de los míos.

Abre la puerta y desaparece en la fría oscuridad de la casa de Nana y del abuelo.

Capítulo VIII

El martes, cuando voy a marcharme al pueblo, Adam aparece silbando por el camino de entrada.

—¡Hattie! ¡Hattie! ¡Muy buenos días tengas tú! —grita.

Vuelvo a entrar en casa a toda prisa y telefoneo a Nana para decirle que Adam está aquí, ella me lo agradece pero no me pide que se ponga al teléfono.

Cuando vuelvo al porche, Adam dice:

—¿Está Ángela? ¿Está en casa Ángela Valentine?

—No, está en el banco —le recuerdo—. En su trabajo —me doy cuenta de que Adam quizá no sepa gran cosa de trabajos, así que añado—: Se va todas las mañanas antes de las nueve y no vuelve hasta un poco después de las cinco de la tarde.

—Pues vaya, pues qué estupendo como-está-usted —refunfuña, aunque no parece muy disgustado. Da un brinco—. Entonces debo seguir mi camino. Hola y adiós.

—Espera, Adam, ¿adónde vas?

—A casa, James —contesta, y se va avenida Grant abajo.

Le sigo a casa de Nana y del abuelo, como una espía, para asegurarme de que no hace nada raro por el camino. Después vuelvo a casa corriendo y llamo a Nana para decirle lo que he hecho y que Adam conoce la ruta a la perfección.

Me siento un poco como la niñera de Adam, otro poco como su madre, nada en absoluto como su sobrina y una chispa como su amiga.

Al día siguiente Adam aparece en nuestra casa a las 5.05 de la tarde. (Esta vez no me molesto en llamar a Nana). Diez minutos después, mientras ambos miramos el ir y venir de las agujas de hacer punto de la señorita Hagerty, Ángela Valentine enfila el camino de acceso.

Adam se pone inmediatamente en pie.

—¡Ángela Valentine! ¡Oh, jou, jou, jou! Muy buenas tardes tengas tú. ¿Cómo te ha ido la jornada en el banco?

Ángela se desploma en una silla, abanicándose.

—Muy bien, Adam, gracias. Mucho trabajo.

Adam no puede dejar de mirarla. Veo cómo se deslizan sus ojos desde su cara hasta sus pies y después desde sus pies hacia arriba, con una repentina parada en el pecho. La señorita Hagerty está muy ocupada con sus agujas y Ángela ha cerrado los ojos, así que yo soy la única que observo a Adam observando a Ángela. Oscila a izquierda y derecha, apoyándose ora en un pie ora en otro, retorciéndose las manos y… mirándole el busto de hito en hito.

Ángela abre los ojos y ve a Adam. Pienso que me gustaría que me tragara la tierra, pero ella le sonríe y después se levanta.

—Creo que voy a prepararme un té helado antes de la cena —dice—. ¿Quiere alguien otro?

—¡Oh! ¡Oh! ¡Yo te ayudo! ¡Te ayudo en la cocina, Ángela Valentine! Vaya cielo, ya que mezclas los huevos con aceite y vinagre ¿por qué no echas unas anchoas y haces una ensalada César?

Ángela le sujeta la puerta a Adam.

—¿De qué *I Love Lucy* es eso? —pregunta mientras desaparecen por el recibidor en dirección a la cocina.

Siento que se me suben los colores cuando veo a Adam corriendo detrás de Ángela. Sé que lleva días esperando verla. Trato de convencerme de que todo es como debe ser; de que Adam es un adulto y de que Ángela es una adulta, una adulta guapa. No sería bueno para él mirarme como la mira a ella. Sólo tengo once años, por no mencionar lo de que soy su sobrina. Pero el sofoco no se me va, y lo único que puedo hacer es contemplar confundida la avenida Grant.

No hay nada peor que ser un cero a la izquierda.

El jueves trato de no pensar en Adam. Voy a dar un paseo por el pueblo. Pinto con papá en el estudio. Me tumbo en la cama y leo uno de mis libros de la biblioteca. Ayudo a Cuqui en la cocina. Por fin me doy cuenta de que extraño a Adam. Por eso siento un revoloteo de felicidad en el estómago cuando lo oigo llegar silbando a última hora de la tarde. Corro fuera para darle la bienvenida.

—Jou, jou, y buenas tardes, Hattie —saluda. Va todo peripuesto con un traje de verano demasiado pequeño, una pajarita verde lima y un gran sombrero de fieltro negro, así que supongo que está deseando ver a Ángela otra vez. Pero no pregunta por ella. En lugar de eso se deja caer sobre una silla del porche, cruza las piernas, me mira muy serio y, con tono de ejecutivo en una reunión de negocios, anuncia:

—Muy bien. Tú has compartido uno de tus secretos conmigo, Hattie Owen. Ahora voy a compartir contigo uno de los míos.

—Vale —contesto, tratando de contactar con Adam. A veces siento que está a kilómetros de distancia.

—Dime una fecha, Hattie, cualquier fecha.

—¿Una fecha?

—Sí. Un día, un mes y un año. El siete de enero de mil novecientos cincuenta y dos, por ejemplo.

Lo pienso un momento y digo:

—Vale. Dieciséis de septiembre de mil novecientos cuarenta y uno.

—Martes —contesta Adam al instante.

—¿Qué quieres decir?

—Que el dieciséis de septiembre de mil novecientos cuarenta y uno fue martes.

—¿Cómo lo sabes?

—Lo sé. Está en mi cabeza.

—¿Estás seguro de que no te equivocas?

—Segurísimo. Lo puedes comprobar. Dime otra. Una fecha que conozcas.

Bueno, a ver…, sé el día de la semana que nació Cuqui, así que le digo su fecha de nacimiento.

—Sábado —dice Adam.

—¡Es verdad!

Adam sonríe como una calabaza de Halloween.

—¿Puedes hacerlo con cualquier fecha?

—Rotundalutamente.

—¿Y por qué es un secreto?

Adam se inclina hacia delante y susurra:

—Porque madre dice que es un truco de circo y que le da vergüenza ajena y que debe ser guardado en familia. En el seno de la familia, diría yo, aunque madre no lo dice así.

No, no podía imaginarme a Nana diciendo "seno" bajo ninguna circunstancia.

—Pues ahí está —añade Adam, recostándose en la silla muy satisfecho.

Me he perdido algo.

—¿Qué? —digo.

Los ojos de Adam se desenfocan. Mira a lo lejos, me mira a mí, mira a lo lejos.

—Mi pequeño rincón en el Universo —dice por último.

El viernes por la mañana, muy temprano, de camino a la habitación de la señorita Hagerty con la bandeja del desayuno en las manos, me paro frente a la puerta de entrada. El pronóstico del tiempo anuncia lluvias, pero no se ve ni una sola nube.

Sin embargo, a punto estoy de tirar la bandeja cuando veo lo que veo.

Adam. Camina con garbo por la avenida Grant, vestido únicamente con pantalones de pijama. Sin camisa, sin zapatos.

Me empieza a latir con fuerza el corazón y tengo que respirar profundamente. Dejo la bandeja en el suelo y salgo corriendo detrás de él. Ha pasado ya nuestra casa. Giro a la derecha y grito:

—¡Adam! ¡Adam!

Adam se detiene y pivota sobre sus talones.

—¡Jou, jou! ¡Y muy buenos días tengas tú, Hattie Owen! Muy buenos días, muy buenos días para vivir. ¡Vivir, vivir, oh! ¡Vivir, vivir, oh! ¡Berberechos y mejillones, vivir, vivir, oh! ¿Conoces esa canción, Hattie?

Adam sonríe, con una sonrisa que le salpica toda la cara. Nunca lo había visto de tan buen humor.

Me acerco a él y lo agarro de la mano.

—¿Adónde vas, Adam?

—¿Que adónde voy? ¿Me preguntas que adónde voy? Vaya, pues voy de camino al circo de la vida, el circo de la vida, Hattie, y me sentiré honrado y encantado, EN-cantado, si tú quieres acompañarme.

Adam no deja de andar. Continúa su marcha en dirección al pueblo, camina tan deprisa que tengo que correr para alcanzarle. ¿Cómo consigo que se dé la vuelta? Debe volver conmigo; lo llevaré a casa de Nana y del abuelo, pero no sé cómo hacer que regrese.

Tengo un poco de miedo de que se enfade conmigo.

Pienso en lo que ha dicho, lo del circo de la vida. ¿Habrá visto los carteles de la feria? ¿Es a eso a lo que se refiere?

—Quiero ir al circo contigo, Adam. Pero todavía no está aquí. La feria, digo. Que llega mañana. La Feria de Fred Carmel.

—Sí, oh sí. El famoso Fred Carmel y su Feria. Diversión, diversión, diversión para todos.

—Pues eso, que digo que vamos a darnos la vuelta, ¿no? Podemos ir a la feria la semana que viene.

Me paro y tiro de su brazo. Siento que se resiste un segundo y pienso: "¿Qué hago si no quiere volver conmigo? ¿Qué va a ser de él si se vuelve loco?".

Pero a continuación Adam se da la vuelta y enfilamos el camino a casa, además afloja el paso y podemos andar despacio, como si fuéramos unos ancianos dando su paseo matutino, con la salvedad de que uno de ellos lleva únicamente los pantalones de su pijama de rayas.

Al pasar por mi casa me pregunto si debería entrar a todo correr y despertar a papá y mamá, o al menos quitar la bandeja de la señorita Hagerty del suelo, pero no quiero complicar las cosas. Mejor me limito a llevar a Adam con Nana y el abuelo.

Así que seguimos caminando, tomados del brazo. En silencio.

Y caigo en la cuenta de que tenemos que pasar por delante de las casas de Nancy y de Janet.

Pues qué bien. Rezo al dios de mis padres, a ese que siempre está a la escucha, para que Nancy y Janet estén durmiendo cuando pasemos.

Al parecer Dios se ha tomado un pequeño descanso y no me oye porque, cuando Adam y yo nos acercamos a casa de Nancy, la puerta se abre y ella sale corriendo en persecución de su hermano pequeño. Va tras él por el césped y nos ve cuando estamos a unos tres metros de distancia. Se para en seco y nos mira con los ojos como platos.

—¡Anda! Buenos días tenga usted, amiga de Hattie —dice Adam—. Amiga que no quiere limonada. Amiga que tiene un hermanito —le hace una reverencia—. ¿Quieres acompañarnos a casa y desayunar unas sabrosas salchichas?

La boca de Nancy está abierta de par en par.

—No —se apaña para decir.

Estupendo. Un no a secas.

Ya sé que Adam parece extraño y todo eso, pero ¿no podría ser amable con él, por lo menos?

Adam, herido, se da la vuelta.

Y yo oigo que Nancy murmura:

—¡Es como un marciano!

Me suelto de la mano de Adam y giro igual que una peonza.

—¡Eh, tú! —digo—. ¡Eh…! —no se me dan muy bien los insultos—. ¡Eh, tú, cállate!

No es mucho, pero, como Nancy apenas me ha oído decir más de dos palabras seguidas desde que nos conocemos, se queda sorprendida… y se calla.

—¡Vamos, Adam! —añado.

Hacemos el resto del camino en silencio, y no nos topamos con Janet. Cuando llegamos a casa de Nana y el abuelo, las lágrimas se deslizan por las mejillas de Adam. Llamo al timbre, el corazón me late con fuerza.

Abre Ermaline, que va a buscar a Nana a todo correr. Le cuento a la abuela lo ocurrido, y aunque Adam sigue llorando en silencio, ella le dice:

—Ve a tu cuarto, jovencito, y vístete como es debido —pero la verdad es que parece más conmocionada que enfadada.

Adam se dirige a las escaleras. Cuando desaparece de la vista digo:

—Nancy O'Neil lo ha llamado marciano, y él lo ha oído.

Nana se queda de pie frente a mí, más tiesa que un bastón, totalmente erguida. No mueve un solo músculo de la cara. Si han insultado a Adam, la han insultado a ella. Puedo leer en sus ojos como en un libro de la biblioteca. Nana, una de las personas más adineradas de Millerton, esperaba tener una familia perfecta, una familia que cumpliera los elevados estándares establecidos por su padre; pero su hijo le había fallado, es decir, Nana había fallado.

—Tengo que irme —digo, y me marcho a desayunar con mi propia familia. Trato de no recordar las calladas lágrimas de Adam.

Capítulo IX

E l sábado por la mañana me levanto con mariposas en el estómago. Hoy llega la Feria de Fred Carmel. Adam no podrá verla aún. Nana y el abuelo han elegido este día para ir a Filadelfia a comprarle ropa. Siento que Adam se pierda el desfile, pero me alegro de que Nana se haya dado cuenta de cosas tales como que los trajes de verano de Adam le quedan demasiado pequeños. Me pregunto quién se encargaba de comprarle la ropa a Adam en el colegio. Supongo que a Nana no le importaba su aspecto cuando no tenía que verlo… Y, en fin, me digo a mí misma que ya está bien de pensar mal de Nana.

—Fíjate, un desfile que pasa por tu calle, Hattie —dice Cuqui mientras la ayudo en la cocina después de desayunar. Las dos llevamos delantales (hechos por la señorita Hagerty), y Cuqui se ha sujetado el pelo con una redecilla.

Además, se ha enrollado las medias justo por debajo de las rodillas. No tiene muy buena pinta que digamos, pero Cuqui resopla, suda y jura por Dios y todos los santos que las medias medio enrolladas dan la sensación de que hay diez grados menos de temperatura.

Pienso en los carteles de Fred Carmel. En varios de ellos ponía que, cuando la feria llegara, los carromatos, los camiones y los remolques desfilarían por el pueblo hasta llegar a su lugar de emplazamiento. Empezarían en la calle Nassau, girarían por Grant y seguirían por ella hasta llegar al otro extremo de Millerton.

—¿Con quién vas a ver el desfile? —pregunta Cuqui.

—Bueno, ya sabes, con mamá y papá, y el señor Penny y la señorita Hagerty, y con Ángela, si está por aquí. Y contigo, si quieres verlo.

—¿No viene nadie de tu edad?

Me cruzo de brazos.

—Betsy está en Maine —le recuerdo.

—¿Es que Betsy es la única niña de once años que hay en Millerton?

—No.

Cuqui me sonríe y extiende los brazos. Me retiro. Ella suspira.

—¡Ay, cariño! —me dice.

—Te pareces a mamá.

—Tu madre sólo quiere que tengas amigos.

—Tengo amigos.

—Amigos de tu edad.

—¿Qué importa la edad que tengan mis amigos?

Cuqui suspira de nuevo.

—Supongo que nada.

Estamos horneando panecillos, yo unto los moldes con mantequilla. Trabajamos sin hablar unos minutos. Finalmente decido que no quiero que Cuqui piense que estoy enfadada, así que le pregunto:

—¿Quieres ver el desfile con nosotros?

—Unos minutitos nada más —contesta—. Sólo para ver a la gente esa de las barracas.

No son aún las diez de la mañana cuando oigo gritos y música ligera. Corro al porche y miro calle abajo. Veo una larga fila de camiones y carromatos que se mueven lentamente, me zambullo en casa y grito:

—¡Ya están aquí! ¡Ya empieza el desfile!

Todo el mundo llega corriendo al porche y se sienta en las sillas alineadas frente a la barandilla. La señorita Hagerty está tan entusiasmada que me aferra la mano.

El primer camión del desfile está pintado como un vagón de circo. Letras rojas perfiladas de dorado anuncian: FERIA DE FRED CARMEL. Dos mujeres jóvenes con vestidos de lentejuelas están sentadas sobre el vehículo y nos saludan. (La señorita Hagerty devuelve el saludo). La música de fanfarria sale de alguna parte del interior del camión. A continuación aparecen algunos remolques que transportan animales, y tras ellos trotan tres ponis guiados por mujeres de la feria ataviadas también con trajes de lentejuelas.

—¡Oh, ahí están! —grita Cuqui de repente.

—¿Quiénes? —pregunta Ángela.

—La gente de las barracas.

Veo que a continuación van a pasar sus remolques. Cada uno anuncia las distintas barracas de la feria: El Hombre de los Mil Tatuajes; Mongo el Hombre Mono; Juan-Juana, Mitad Hombre-Mitad Mujer; La Mujer Ocho, Contorsionista; Don Estrambótico... Pero esa gente debía estar dentro de los vehículos, porque todo lo que se veía de ellos eran sus anuncios.

Cuqui se pone en pie y menea la cabeza lentamente.

—¡Caramba, caramba! Voy a tener que acercarme a ver esas barracas —dice volviendo a la cocina.

Sigo mirando los vehículos que pasan pero sin prestarles demasiada atención. Estoy pensando en Mongo y en Juan-Juana y en La Mujer Ocho. Tengo que admitir que esas pinturas me fascinan, las que están en los laterales de los remolques, pero una pequeña parte de mí no se siente a gusto. Si yo tuviera un aspecto inusual o una habilidad extraña, ¿me gustaría pasar la vida siendo observada por todo aquél que pagara una entrada? Probablemente no. Pero... siento una terrible curiosidad, por Juan-Juana en especial. Decido, por último, que estoy un 85 por ciento intrigada y un 15 por ciento desasosegada.

Y al terminar el desfile lo que estoy es loca de emoción. Intento acordarme del dinero que tengo en mi cuarto. Creo que hay cuarenta y cinco centavos en la bandejita que está sobre mi mesa, y cerca de cinco dólares en el bolsillo izquierdo de los vaqueros del tercer cajón del armario. Perfecto. Estoy lista para los juegos, el algodón de azúcar, las atracciones y los espectáculos diversos.

—Bueno, Hattie —dice papá—, ¿qué opinas? ¿Vamos a la feria el lunes por la noche?

—¡El lunes por la noche! ¡La primera noche! —exclamo—. ¡Oooooh, sí!

Esta tarde, después de cenar, papá y yo recorremos Grant hasta el otro extremo del pueblo y observamos a Fred Carmel y a sus empleados poner en marcha la feria. Me sorprende lo rápido que trabajan. Ya casi no se reconoce lo que era un descampado. Las estructuras de los aparatos ya están erigidas y los puestos, las barracas y las casetas brotan por todas partes.

—¡El lunes por la noche es la gran inauguración! —anuncia una chica de mi edad al salir de una caravana.

—Aquí estaremos —contesta papá.

La feria es el mayor acontecimiento que se ha visto en Millerton en años. Resulta que todos los huéspedes de nuestra casa piensan acudir a la gran inauguración. Mamá es incapaz de decidir si sirve la cena del lunes media hora antes para que la gente pueda pasar más tiempo en la feria o media hora después para que puedan arreglarse antes de cenar. Por último decide servirla a la hora de siempre.

Los seis nos sentamos a la mesa del comedor para charlar de las cosas que vamos a ver y a hacer en la feria, y de lo tarde que nos vamos a acostar. Mamá me dice:

—No cenes mucho esta noche, Hattie. Deja sitio para el algodón de azúcar.

—Y para la comida de muchas naciones distintas —añado. Y a continuación pregunto—: ¿Podemos llevar a Adam a la feria? —estoy segura de que con Nana y el abuelo no podrá ir. Una feria no es digna de ellos, como tampoco lo es un circo.

—¡Ay, cielo! —dice mamá—. Vamos a ir nosotros solos, los tres. No me siento con ánimos para llamar a Nana en este momento.

—Yo la llamo.

Mamá suspira.

—No des más la lata, Hattie.

—Está bien —no pienso hacer una escena delante de todos, pero ya sé lo que pasa. Mamá no quiere que Nana sepa que nos hace tanta ilusión ir a la feria como al resto de los pueblerinos de Millerton y que, como ellos, nos apresuramos hacia la inauguración nocturna de mujeres barbudas, juegos, premios por poco dinero y luces deslumbrantes.

Bueno. No pienso dejar que esto me estropee la noche.

La hora de la cena ha pasado; la señorita Hagerty sale al porche. Unos dos minutos más tarde el Chrysler marrón se para frente a casa con sus amigas en los asientos delanteros. Saludan por las ventanillas. Ambas llevan sombreros de paja adornados con flores artificiales.

—¡Yujuuuuu! —gritan.

—¡Holaaaaa! —contesta la señorita Hagerty—. Nos veremos por allí —se vuelve y grita por la puerta de entrada—: ¡Frank! —el señor Penny aparece.

Él y la señorita Hagerty salen a toda prisa hacia el coche y se meten en él. Cuando yo era pequeña solía pensar que el señor Penny y la señorita Hagerty salían juntos y que se casarían algún día y que yo sería la niña de las flores en la boda. Ahora estoy segura de que ninguno de los dos quiere casarse. Algunas personas lo prefieren así.

Tan pronto como el Chrysler desaparece de la vista un pequeño y brioso descapotable rojo, con la capota baja, ruge y frena frente al camino de acceso. Un sonriente joven que parece un doble de Frankie Avalon, el cantante, sale del coche sin molestarse en abrir la puerta: salta por encima y aterriza limpiamente sobre la acera. Lo miro de hito en hito con la boca abierta mientras da la vuelta hacia el asiento del acompañante y se apoya en el coche con los brazos cruzados. Es la primera vez que lo veo, pero seguro que ha venido a buscar a Ángela Valentine. Vaya que sí. Poco después Ángela sale al porche tan campante, dejando una estela de perfume de rosas tras ella.

—Hasta luego, Hattie —dice—. Que te diviertas.

Frankie Avalon recibe a Ángela con un roce de labios en la mejilla y la puerta del coche abierta. Momentos después salen zumbando para la feria.

En esos momentos adoro nuestro porche. A veces estar sentada en él es mejor que ir al cine.

Mamá, papá y yo nos dirigimos a la feria. Estoy tan nerviosa que no me importa que vayamos de la mano, aunque estemos en público. Voy caminando, la mano derecha en la de mamá, la izquierda en la de papá, escuchando cómo se entrecruzan sus voces tranquilas sobre mi cabeza. He olvidado lo de mamá y Nana, y lo de los aires que se da Nana, pero no me olvido de Adam. Me gustaría que viniera con nosotros.

Oigo la feria antes de verla: la música, las risas, las voces de la gente. Y mientras cruzamos un descampado con coches aparcados, veo que cada centímetro de ella está resaltado con luces. Parece la calle Nassau en diciembre cuando los escaparates, los carteles, las farolas y los árboles se llenan de luz por Navidad.

Me pongo de puntillas para tener mejor vista, y me encuentro con un círculo de luz en movimiento: la noria. Hay una calle de luz en el medio y otra en un lateral. Se ven las luces del recinto de los autos de choque, las de las sillas voladoras y la iluminación serpenteante de una pequeña montaña rusa.

Papá y mamá están tan ilusionados como yo.

—¡Vamos! —dice mamá tirándome de la mano; y los tres corremos por el aparcamiento para llegar lo antes posible a la entrada. Y entonces… no sabemos por dónde empezar. ¿Comida? ¿Atracciones? ¿Juegos? ¿Barracas? Deambulamos un poco por allí.

En ese momento la cámara de papá aparece de sopetón ante su cara.

—Muy bien, señoras —nos dice a mamá y a mí—. Quietas, un momento.

Nos quedamos frente a la casa de la risa y saludamos obedientemente.

—Vamos a filmar en la noria —añade.

Nuestra noche de feria ha comenzado. Cuando bajamos de la noria vamos a la casa de la risa. Compramos algodón de azúcar. Me gasto cuatro dólares jugando a seis juegos diferentes antes de ganar un osito de peluche de color rosa.

Hacemos cola para comprar entradas para las barracas y quien nos las vende es la chica que papá y yo vimos el sábado por la noche.

—Trabaja aquí —le susurro a papá incrédula.

Al entrar en las primeras barracas aún me siento fascinada en un 85 por ciento y desasosegada en un 15 por ciento. Para cuando hemos visto la mitad, sin embargo, decido que me siento un 15 por ciento desasosegada, un 45 por ciento fascinada y un 40 por ciento estafada. Algunas personas no son lo que anuncian ser. Por ejemplo, la mujer que ostenta el horriblemente embarazoso nombre de La Mujer Cerdo, pretendiendo ser la mujer más gorda del mundo, no es ni más ni menos gorda que la señora Finch, la propietaria del cine. Juan-Juana, Mitad Hombre-Mitad Mujer, es un hombre completo que se ha dejado el pelo largo en media cabeza y se ha rellenado un lado de la camisa con un montón de toallitas de manos, igual que hacemos Betsy y yo cuando queremos ver la apariencia que tendremos con pecho. (Nosotras nos rellenamos los dos lados de la blusa, claro está). Y La Mujer Ocho, Contorsionista, de hacerse un ocho nada, aunque es impresionante cómo se pone las piernas por detrás del cuello.

Son más de las diez cuando mamá mira su reloj:

—Ya siento decirlo, pero tenemos que ir pensando en volver a casa. Es tarde.

—¿Podemos subir otra vez a la noria? —pregunto.

Mamá y papá se miran.

—¿Por qué no? —dice mamá.

Así que montamos de nuevo y contemplamos cómo se aleja la feria de nosotros y cómo vuelve a nuestro encuentro una y otra vez. Cuando por fin nos vamos, cansados, felices y un poco mareados, veo de nuevo a la chica, la que nos cobró las entradas de las barracas.

—¡Espero que haya sido una buena noche! —grita—. ¡Vengan más veces!

Cuando me doy la vuelta ella me saluda con la mano. Le devuelvo el saludo.

Capítulo X

Nunca sabes cuándo vas a encontrar un nuevo amigo. Puede ocurrir cuando menos te lo esperas. Betsy y yo nos hicimos amigas en el jardín de infancia porque la señorita Kushel cambió a los niños de sitio y nos puso juntas.

Adam irrumpió en mi vida sin previo aviso y, de algún modo, coincidimos en lo referente a porches y a sentirse alienígenas, y él me confió su secreto.

Pero Leila fue la amiga más inesperada de todos. No pertenecía a mi mundo, no estuvo en mi colegio, no era un pariente desconocido. Sólo era una chica que viajaba con una feria que había venido al pueblo.

La noche en que papá, mamá y yo vamos a la inauguración de Fred Carmel llego a casa exhausta, pero no puedo dormir. Tumbada en la cama, mientras pienso en La Mujer Cerdo, en Juan-Juana y en La Mujer Ocho, recuerdo a la chica de ojos pardos que nos dio nuestras entradas, nos deseó que lo pasáramos bien y nos dijo que volviéramos.

Sigo pensando en ella cuando me dirijo al pueblo por la mañana. Al llegar al cine veo el primer anuncio de la feria y, sin pensarlo, me doy la vuelta y me encamino hacia las instalaciones.

La feria es muy divertida de día, pero no tiene la magia que emana por la noche cuando está iluminada y puede ocurrir de todo, pero de todo. Camino entre las casetas de los juegos y los puestos de comida, tintineando las monedas que llevo en el bolsillo y sintiendo el calor del sol en los hombros.

No puedo evitarlo. En quince minutos estoy al lado de las barracas, leyendo los anuncios, mirando las caras de Juan-Juana y La Mujer Cerdo.

Oigo que una mujer dice:

—¡Entremos!

Agarra la mano del hombre que va con ella y se pone en la fila de la gente que espera para comprar entradas. Echo un vistazo a la taquilla; allí está la chica, muy ocupada con los cambios. Tengo bastante dinero para una entrada pero decido no comprarla. Me acuerdo de Adam el día que tuve que llevarlo a casa con su pijama de rayas, y de la expresión de su cara cuando Nancy lo insultó. En lugar de pasar a las barracas me compro un perrito caliente y me voy a casa.

Al día siguiente, a la hora de mi paseo, vuelvo a la feria como una flecha. Esta vez evito las barracas. Llevo un dólar en el bolsillo y la esperanza de ganar otro premio. Cuando ya he malgastado ochenta centavos de mi dólar en un juego de lanzamiento de aros que me ataca los nervios, veo a la chica. Se esconde detrás del mostrador y le susurra algo al hombre que ha estado recibiendo el dinero. El hombre le tiende un rollo de diez centavos y ella le da las gracias. Está a punto de irse cuando se percata de que estoy lanzando aros. Me saluda con timidez y yo le devuelvo el saludo. Después se va corriendo.

El miércoles voy derechita a la feria en cuanto acabo mis tareas. Al pasar por casa de Nana y del abuelo considero la posibilidad de decirle a Adam que venga conmigo, pero nunca he estado a cargo de Adam excepto para escoltarle a su casa, y no estoy segura de ser capaz de hacerlo bien. Además, ¿qué pasa si Nana dice que no y a Adam le da una pataleta? Es preferible esperar.

Esta vez, al llegar, doy una vuelta para ver si encuentro a la chica. Por fin la veo sentada en la taquilla de la noria. Cuando me ve sonríe y me dice:

—Espera un momento, ¿vale?

—Vale —le contesto, sintiendo que se me acelera el corazón.

En la fila hay seis personas. Cuando la chica les ha vendido entradas a todos tiene una charla con el hombre que maneja la noria, se quita el delantal, lo guarda en la taquilla y corre a mi encuentro.

—Hola —dice.

—Hola —contesto.

Señala la noria.

—¿Quieres subir?

Digo que no con la cabeza.

—Ya casi no me queda dinero.

—Vienes todos los días.

—Es la primera vez que hay una feria en Millerton —explico—. Que yo sepa, quiero decir.

Ahí nos quedamos, las dos juntas. Ambas llevamos pantalones cortos, blusas y sandalias. Hace muchísimo calor, siento el sudor corriendo por la cara y el cuello, rozándome las trenzas. La chica, de pelo oscuro, suelto y largo, se abanica con un anuncio de la feria.

—¿Trabajas aquí? —pregunto.

—Lo hace toda mi familia —mira por encima del hombro—. Mi papá lleva la noria y mi mamá las barracas.

—¿En serio?

Lo que estoy pensando es si se encarga de ellas o si está en alguna. No sé si sentirme interesada u horrorizada. Creo que no me gustaría enterarme de que su madre es, por ejemplo, Juan-Juana. Por otra parte, si su madre es Juan-Juana, podría averiguar qué hay bajo la media melena y el medio vestido.

—En serio —dice la chica—. Es La Mujer Ocho.

No parece ni un poquitín avergonzada.

Lo único que se me ocurre decir es:

—Me llamo Hattie, ¿y tú?

Tierra trágame, he dicho lo mismito que una muñeca parlante.

Pero la chica se limita a sonreír y contesta:

—Leila Cahn.

Supongo que si tu madre es La Mujer Ocho no puedes juzgar a la gente con demasiada dureza. Deseé que La Mujer Ocho fuese la madre de Nancy.

—Así… que tú… —me siento dominada por la torpeza, lo mismo que me ocurre cada vez que tengo que hablar en clase, cada vez que debo entrar en una habitación llena de amigos de Nana y del abuelo, cada vez que me veo en la sala de baile del Club del Día de Hoy cuando se celebra un baile o un cotillón. ¿Se puede saber adónde ha ido a parar mi vocabulario?—. ¿Tú, mmm…?

Leila vuelve a sonreírme.

—Sé que es raro —dice.

—¿El qué?

—Ser una niña que vive en una feria.

—¿Por qué es raro?

—Bueno, quiero decir que, para empezar, mi mamá es La Mujer Ocho.

Miro a Leila, y las dos nos reímos.

—Espero que vivas cerca —dice ella.

—Sí —contesto. Estamos de pie bajo un árbol frondoso pero, aún así, yo continuo sudando y Leila continua abanicándose.

—Espera —dice—. Espera aquí.

Echa a correr. Unos minutos más tarde vuelve con dos vasos de papel llenos de limonada con hielo. Me da uno.

—¡Gracias! —digo—. ¿Cuánto es? —no estoy segura de lo que me queda en el bolsillo.

—Nada, es gratis —contesta Leila—. Me la da mi tío Fred.

—¿Tú tío Fred? ¿Fred Carmel? —pregunto. Leila asiente—. ¿Tú tío es Fred Carmel? ¡Atiza! —estoy impresionada. Además he encontrado mi vocabulario—: Y dime, ¿qué tal es lo vivir en una feria?

Leila me cuenta cosas fascinantes. Ella y su familia se pasan la vida viajando. En verano van de pueblo en pueblo, al sur y al oeste, donde haga buen tiempo. Al comenzar el invierno suelen pasar un par de meses en Florida. Leila, de doce años, tiene un hermano pequeño, de nueve, que se llama Lamar. Leila y Lamar estudian en el colegio a distancia; Leila tiene que explicarme esto último:

—Nos mandan las lecciones por correo. Nuestros padres nos ayudan con los deberes, y nosotros los volvemos a mandar por correo. Podemos estudiar cuando queramos, incluso en verano, si nos sentimos con ánimos; yo voy a empezar octavo, y Lamar quinto.

—¿Y Lamar también trabaja aquí, como tú? ¿En la feria?

—No deberíamos pero nos gusta. Creo que hoy mi hermano está ayudando a la tía Jacky con los globos-sorpresa.

—¿Tu tía Jacky es la mujer de tu tío Fred?

—No. Mi tío Fred es hermano de mi madre. Mi tía Jacky es hermana de mi padre —Leila reflexiona—. Éste es un negocio familiar —añade.

Se me ha acabado la limonada, así que sorbo con mi pajita por todas partes para aprovechar el hielo restante.

—¿Cuánto tiempo estará la feria en Millerton? —pregunto.

Leila se encoge de hombros.

—No estoy segura. Creo que hasta mediados de julio, o un poco más quizá.

Pues vaya. Qué fastidio. Esperaba que Leila dijera que iban a quedarse meses y meses. Aunque no tuviera el menor sentido. Miro mi reloj.

—¡Oh, oh! Me tengo que ir. Quiero llegar a casa a la hora de comer.

Leila pone cara larga.

—¿Qué pasa? —digo.

—Nada… bueno, es que… ¿vas a volver?

—Hoy no, pero puedo venir mañana.

—¡Vale!

Mientras vuelvo a casa voy pensando en Leila. Una niña que vive en una feria y va al colegio a distancia. Y a quien no parece importarle mi timidez. Se me ocurre entonces que Leila no tendrá muchas ocasiones de hacer amigos. Quizá le sorprenda tanto que yo quiera hablar con ella como me sorprende a mí que ella quiera hablar conmigo.

Lo primero que hago el viernes por la mañana es ir a la feria. Leila está cerca de la entrada y me da la impresión de que está esperándome.

—Vamos —dice agarrando mi mano—. Hoy te voy a llevar de gira.

Vaya. Ir de gira con Leila es como pasar a las bambalinas de un teatro. Me presenta a todos sus tíos y a todos sus primos. También a Lamar y a sus padres. Me lleva detrás de los mostradores de las casetas de los juegos y de los puestos de comidas de muchas naciones distintas. Apenas me lo puedo creer cuando estrecho la mano de La Mujer Ocho, o cuando Leila y yo subimos a algunas atracciones gratis, o cuando veo la caravana en la que viven los Cahn.

Leila me dirige una sonrisa radiante.

—Bueno, vamos a comer perritos calientes.

Eso hacemos. Mientras estamos comiendo, Leila me cuenta cosas de algunos de los lugares donde ha estado. Yo le cuento cosas de la casa de huéspedes, de la señorita Hagerty, del señor Penny y de Ángela Valentine. Y, al cabo de un rato, me doy cuenta de que le estoy contado cosas de Nana, del abuelo y Adam:

—En realidad ni siquiera sé lo que le pasa.

Leila se queda pensativa.

—Me gustaría conocerlo algún día —dice.

En ese momento recuerdo que Adam aún no ha estado en la feria.

Capítulo XI

Una vez, cuando tenía cuatro años, le dije a la señorita Hagerty que Millerton sabía engalanarse bien. A ella le dio la risa y dijo:

—Tienes toda la razón, tesoro.

Es la verdad. Millerton sabe engalanarse para todas las fiestas habidas y por haber. Mis favoritas son Halloween y Navidad. En Halloween las lámparas hechas con calabazas ahuecadas brillan en los escaparates. Las luces naranjas cuelgan entre las farolas, y casi todo el mundo decora sus patios con brujas y fantasmas, o mazorcas de maíz y calabazas. En Navidad los escaparates se embellecen con acebo, cintas rojas y verdes, y bastoncillos de caramelo. El pueblo resplandece. Casas enteras se perfilan con luces de colores.

El Día de la Independencia no es tan espectacular como la Navidad, pero es también divertido. El centro de Millerton se vuelve rojo, blanco y azul a principios de julio. Banderas estadounidenses ondean al viento a lo largo y ancho de la calle Nassau y en la mayoría de las casas. Los niños entretejen crepé rojo y azul en los radios de las ruedas de sus bicicletas y pasan por el pueblo como borrones púrpuras.

Lo primero que hago el Cuatro de Julio cuando me levanto es mirar por la ventana. Deseo, deseo que el cielo esté azul y que no haya nubes. Mi deseo se cumple: el cielo parece un tranquilo lago de montaña.

Corro escaleras abajo y preparo la bandeja de la señorita Hagerty en un santiamén. Cuando se la coloco en la cama le comunico:

—No va a llover. No hay ni una sola nube a la vista.

La señorita Hagerty sonríe.

—Excelente. No habrá que cancelar nada por culpa de la lluvia.

El Cuatro de Julio una banda de música da un concierto en la plaza del pueblo y todo el mundo lleva la comida y habla, se saluda y come, mientras la Millerton Brass Band toca marchas y melodías de espectáculos musicales como "My Country' Tis of Thee" y "The Star-Spangled Banner". Pero el año pasado el concierto se canceló por la lluvia y tuvimos que sentarnos en casa y conformarnos con ver unos deslucidos fuegos artificiales en las noticias de la noche. Eso no va a pasar este año.

Siempre voy al concierto con papá, mamá, Nana y el abuelo. Es uno de los pocos acontecimientos del pueblo que Nana aprueba. Es de buen gusto. La música es patriótica. Este año Adam vendrá con nosotros, y parece muy ilusionado.

—Música maravillosa, enardecedora, que eleva el espíritu, Hattie. Marchas de Sousa. Oh, dime que las ves, vastas rayas, brillantes estrellas, y Lucy inaugurando una estatua. ¡Oh, jou, jou, jou, Hattie!

A última hora de la tarde, papá, mamá y yo salimos de casa acarreando una gran nevera portátil. Dentro llevamos una sandía que papá ha convertido en una cesta quitando la mitad superior salvo el "asa", y vaciando el interior. Está llena de trozos de fruta, lo que la transforma en un frutero de verdad. Creo que es una de sus más inteligentes creaciones. Cada año intentamos contribuir a la comida en mayor medida, pero Nana prefiere controlarlo todo. Eso significa, básicamente, que disfruta llevando a la plaza una de las espectaculares comidas que degustan Nana y el abuelo en su comedor. Mientras los demás consumen perritos calientes y ensalada en platos de cartón con tenedores de plástico, nosotros comemos entremeses variados y filetes con zanahorias tiernas en vajilla de porcelana con cubertería de plata.

Sé que la gente nos mira de reojo pero, aún así, no me gustaría perderme el concierto.

Papá, mamá y yo llegamos a la plaza y buscamos a Nana, al abuelo y Adam entre la multitud. Son fáciles de encontrar, sin duda alguna. Están sentados sobre un gran mantel, como todo el mundo, pero es difícil no ver la pila de platos con ribetes dorados y la reluciente cubertería de plata.

Adam mira hacia arriba cuando nos acercamos.

—¡Hattie! ¡Hattie! —llama—. ¡Dorothy! ¡Jonathan! Celebremos la fiesta anual. ¡Mirad esto! Chisporroteante pollo a la barbacoa, tentadora selección de verduras…

Mientras Adam desglosa nuestro menú, papá abre la nevera y coloca con cuidado la cesta de fruta en una bandeja proporcionada por Nana. Adam la ve. Durante exactamente un segundo se queda sin habla. Después, un torrente de palabras se desborda por su boca:

—¡Jonathan, cuán grandioso, cuán simplemente grandioso! ¡La creación de las creaciones! ¡Sí, oh, sí!

Simultáneamente, salta arriba y abajo y se retuerce las manos. Miro alrededor. A nuestro lado una familia con tres niños ha extendido su comida sobre una descolorida colcha azul. En sus bandejas hay perritos calientes, hamburguesas y huevos con salsa picante. Estaban comiendo pero se han quedado con las manos a medio camino entre la boca y el plato para mirar a Adam con ojos desorbitados. Están tan quietos que parecen los personajes de una tira cómica.

Decido mirar fijamente a uno de ellos. Elijo a la madre porque considero que es la responsable de enseñar modales a los hijos. Levanto una galleta de un plato, la sostengo a medio camino de mi boca y fijo mis ojos en ella hasta que me ve. En ese momento su cara se pone roja como un tomate y yo me siento complacida.

Cuando se le pasa la emoción provocada por la cesta de frutas, Adam vuelve a sentarse. Llenamos nuestros platos y empezamos a comer mientras la banda toca. Papá saca la cámara de su funda y pasea entre el público. Después nos enfoca a mamá, a mí, a Nana y al abuelo. Todos saludamos con la mano y sonreímos. Cuando enfoca a Adam y le dice:

—Sonríe —Adam se niega a mirarle—. ¡Adam! —grita papá.

Sé que Adam lo oye, pero comienza a comer a toda velocidad, engullendo un tenedor repleto de pollo tras otro. No entiendo por qué de repente no quiere mirar a la cámara, pero no hay manera. Papá vuelve a dirigir su atención hacia nosotros. El abuelo señala el pollo y se frota el estómago haciendo grandes círculos. Mamá vocea:

—ÑAM, ÑAM, ÑAM.

Ni por ésas; Adam se niega a hacer algo que no sea comer. Yo estoy sentada a su lado. Dejo escapar un eructo bajo y largo que sé que sólo él puede escuchar. Adam se ríe por fin. Papá es feliz, yo soy feliz, todos somos felices.

La banda deja de afinar y comienza a interpretar algo tranquilo que no reconozco. A nuestro alrededor la gente se queda totalmente relajada. El volumen de las voces disminuye. Unos minutos más tarde, cuando Jack aparca su puesto ambulante al borde de la plaza, nadie sale disparado hacia él, como ocurre cuando llega tintineando a nuestra calle por las tardes. En lugar de eso, aquí y allá, la gente bosteza y se estira, después de lo cual se levanta lentamente y busca cambio antes de dirigirse al puesto para comprar un helado o un polo.

Me alegra ver a todos tan tranquilos. Las mantas se transforman en pequeñas islas de las que la gente se resiste a salir. Empiezo a relajarme.

—Bueno —dice Nana, mientras ella y mamá guardan los platos—. ¿Quién quiere postre? —parece muy animada.

—Postre —repito—. Ñam. ¿Qué hay?

Nana busca en una de sus cestas.

—Pastel de fresas y arándanos con nata.

—¡Anda! ¡Rojo, azul y blanco! —exclamo. Echo un vistazo a Adam; seguro que le gusta.

Sin embargo, Adam está serio. Serio, tenso y como con miedo.

—Yo no quiero postre. Yo quiero helado —dice.

—Pero Ermaline ha hecho… —empieza Nana.

Adam se pone en pie de un salto.

—¡No me gustan las fresas! Quiero helado de chocolate. Tengo dinero —saca unas monedas del bolsillo—. Y quiero ver a Sandy.

El abuelo frunce el ceño.

—¿Sandy? Pero, Adam, Sandy ya no está en el Buen Humor.

—No, ahora está Jack —interrumpo yo.

—¡No me importa quién esté! —dice Adam a voces—. ¡Voy a comprar helado!

Comienza a abrirse paso entre el gentío. Aunque en realidad no pisa ninguna manta, sí empuja grupos de gente y tira alguna silla.

—Ve con él, Hattie —dice Nana empujándome.

El corazón me late a cien por hora y siento acidez en el estómago, pero cuando le doy alcance Adam me sonríe.

—Tengo dinero para comprar dos helados —dice—. ¿Tú qué quieres, Hattie? ¿Qué quieres? ¿Quieres darte un gusto? ¿Quieres darte un susto? ¡Yo me quedo congelado, tú te quedas congelada, todos nos quedamos congelados con el helado!

—Pues quiero…

—¡Mira! ¡Ahí está la heladería ambulante! Y ahí está el hombre. ¿Es ése Jack, Hattie? ¿Es ése Jack?

No hay que esperar en la camioneta y eso me alegra un montón.

—Sí, es Jack —contesto.

Jack me ve y dice:

—¡Feliz Cuatro de Julio, Hattie!

—¡Igualmente! —respondo—. Jack, éste es mi tío Adam. Adam, éste es…

—Sí, sí, el famoso Jack. Saludos, Jack. ¿Qué tenemos aquí, en este su espléndido puesto? Por mi parte desearía helado de chocolate. ¿Tiene usted helado de chocolate para sus reales súbditos? ¿Y qué ha de ser para ti, Hattie? Cuando Lucy estaba embarazada tenía antojos a las cuatro de la madrugada. Le pedía a Ricky que le llevara helado de pistacho con caramelo de dulce de leche caliente y sardinas. ¡Ay, chico, qué maravilla!

Jack ríe con gentileza.

—Bueno, aquí sardinas no tengo.

Adam también ríe. Parece más tranquilo.

Un momento después, tiene su bombón helado en las manos y yo el mío de chocolate. Decimos adiós a Jack y volvemos a nuestra manta.

Tan pronto como nos sentamos, la tranquila música se transforma en "When the Saints Go Marching In". El ambiente de fiesta vuelve a extenderse sobre la multitud. La gente habla más alto. Veo las imprecisas figuras de hombres y mujeres levantándose para hablar con amigos o perseguir hijos. Mediada la canción me doy cuenta de que Adam no está en nuestra manta. Soy la única que lo nota, no sólo porque está oscureciendo sino porque seis amigos de Nana y el abuelo se han parado a charlar con ellos, y los adultos están muy ocupados sirviéndose café del gran recipiente de plata.

Me levanto. Tengo una idea de dónde puede estar Adam, así que, relamiendo aún el chocolate de mis dedos, corro hacia el quiosco de música.

Adam se ha colocado justo detrás del director y baila al son de la música. Tengo que admitir que me dan ganas de bailar hasta a mí, pero en el concierto anual del Cuatro de Julio de Millerton la gente no baila. Se sienta y come y habla y saluda, pero no baila.

Adam es el único que lo hace. En consecuencia atrae toda la atención de los presentes. No pocos asistentes dejan de comer y de hablar para volverse a mirar a ese joven que salta arriba y abajo, arriba y abajo al ritmo de la música. De vez en cuando se retuerce las manos. De vez en cuando grita:

—¡Felicidades! ¡Felicidades!

Me hace sonreír. Qué bello modo de celebrar el Día de la Independencia.

Esa canción acaba y comienza otra. Miro por encima del hombro. Mis padres y mis abuelos aún están atendiendo a sus invitados. Decido esperar a que acabe la nueva canción; después intentaré hablar con Adam. Creo que ahora no debo molestarlo.

Me quedo detrás de él y mientras espero escucho decir "el show de las rarezas". Giro sobre mí misma.

Allí están: Nancy y Janet. Qué sorpresa. Las fulmino con la mirada. Y entonces, aunque la canción no ha terminado, agarro a Adam del brazo y lo llevo a nuestra manta. Me permite hacerlo, como me permitió llevarle a su casa aquella mañana. A medida que nos aproximamos a la manta se va quedando sin cuerda, así que cuando llegamos vuelve a ser el Adam de siempre, hablando de su helado de chocolate.

Me siento al borde de la manta, lejos de todos. Me arde la cara. Sobre las copas de los árboles los fuegos artificiales iluminan el cielo nocturno. Supongo que son de Fred Carmel.

Estoy allí sentada, mirando, cuando se me ocurre una idea espantosa. No sé exactamente qué le pasa a Adam, pero quizá es una de esas enfermedades hereditarias. Quizá por eso Nana y el abuelo se avergüenzan de él. ¡Y quizá… por eso mamá y papá no me habían hablado nunca de Adam? ¿Para que no supiera nada de su enfermedad? ¿Pensarán quizá que me parezco un poquito a Adam? ¿Por eso quiere mamá que sea como las otras niñas… para convencerse a sí misma de que no voy a volverme como Adam algún día?

Me vuelvo de golpe y miro a mi familia. No puedo dejar de hacerme preguntas y no puedo formular ni una sola de ellas.

Capítulo XII

Después del Cuatro de Julio todos los días sigo la misma rutina. Por las mañanas preparo el desayuno de la señorita Hagerty, tomo el mío con papá, mamá y el señor Penny, e inspecciono los modelos y peinados de Ángela Valentine cuando pasa corriendo por el comedor para ir al trabajo. Cuando termino mis tareas me dirijo a la feria, donde Leila y yo pasamos juntas el resto del día, incluso la hora de comer. Siempre comemos perritos calientes y limonada, que Leila consigue gratis. A veces nos encargamos de alguna taquilla o recogemos las entradas o hacemos pasar a la gente a las barracas. Otras veces nos limitamos a buscar un sitio fresco y tranquilo donde sentarnos a conversar un rato.

Un día le digo:

—¿No te molesta que la gente pague dinero por ver a tu madre? ¿No le molesta a tu madre?

Leila se queda mirándome con el ceño fruncido.

—No lo sé, quiero decir que si quieren gastar dinero en eso… —su voz se va apagando—. Es mejor que si miran y no pagan.

—Pues sí —contesto.

—Además, sólo es una actuación. La mayoría de la gente de las barracas se limita a actuar. Saben hacer trucos o maquillarse y vestirse de una determinada manera. Pero sí me dan pena los que son como El Chico Chimpancé o La Niña Muñeca. La gente los mira porque han nacido así. Aunque ellos dicen que no les importa, que ¿cómo iban a ganarse si no la vida? Pero no sé…

—La gente mira a mi tío Adam —le confieso—. Lo llaman marciano.

—Sin embargo a ti te gusta mucho, ¿verdad?

—Sí, sí me gusta. ¿Sabes lo que más me gusta de él? Lo feliz que puede llegar a ser. La mayoría de la gente no se siente nunca así. Cuando Adam es feliz salta arriba y abajo como un niño pequeño, o grita: "¡Felicidad!".

Leila sonríe.

—Felicidad —repite. Traga lo que le queda del perrito caliente—. ¿Ha estado ya por aquí? Apuesto a que le gustaría.

Aún no ha venido a causa de la estrecha visión de Nana de lo que ella llama gente de circo, aunque, técnicamente, Leila y su familia son en realidad gente de feria.

—Sí que le gustaría, seguro —digo.

—Entonces tráelo —dice Leila.

—Eso pienso hacer.

Cuando la ocasión sea propicia.

La ocasión es propicia pocos días después: el viernes por la mañana. He hecho mis tareas y estoy barriendo el porche cuando veo que Adam se acerca silbando por el camino.

—¡Feliz ocho de julio, Hattie Owen! —grita, agitando vigorosamente la mano.

—¡Hola, Adam!

—¿Está la señorita Ángela Valentine en la residencia?

Tiene un humor excelente. Pero ¿por qué no se acuerda nunca de que Ángela trabaja? Quizá, creo yo, porque su trabajo le recuerda la gran diferencia que hay entre Ángela y él. Si Adam fuese como los demás, lo más probable es que él también estuviera trabajando.

Decido no comentar nada al respecto, sólo digo:

—Oye, Adam, ¿quieres venir conmigo a la feria?

Ya no me da miedo cruzar el pueblo con Adam, sobre todo porque Leila está al final del trayecto y no tengo que pasar mucho rato a solas con él.

—¿A la Feria de Fred Carmel, la de los juegos, los premios, las barracas y la comida de muchas naciones distintas?

—A ésa.

—¿Ahora?

—Sí. Bueno, después de decírselo a Nana. Pero yo creo que nos dejará ir.

A pesar de sus ideas sobre el circo, Nana se alegra de que Adam no pase una tarde en casa. Y, aparentemente, confía en mí. Sabe que yo he ido mucho a la feria. Y tengo la sensación de que la abuela ya no espera gran cosa de Adam, sólo quiere que no la moleste demasiado y que no la avergüence.

—¡Diviértete Hattie, y tú también, Adam! —nos dice cuando nos despedimos al pasar por su casa. Después añade—: ¡Ah, Adam, espera! Espera un momento —desaparece en el interior de la casa. Al volver le pone diez dólares en la mano—. Invita a Hattie a comer y a algunos juegos.

Espero hasta que Nana no nos oye.

—No creo que tengas que gastar tanto dinero —le digo a Adam—. Comeremos gratis. Y también montaremos gratis en las atracciones. Podemos pagar los juegos, eso sí, porque no me parece bien ganar uno de esos premios estupendos por nada.

Adam está distraído.

—Pues ya te digo, todo gratis. La comida también —repito.

—¿Ah, sí?

—Ajá. Aún no conoces a mi amiga Leila.

Ya me he ganado su atención:

—¿Leila? ¿Quién es Leila?

Le hablo de ella, de Lamar, de los Cahn y de sus fascinantes vidas. Cuando llegamos a la feria, Adam está muy interesado. Las atracciones en movimiento, los olores de algodón de azúcar, la fanfarria del tiovivo y todo aquel gentío lo ponen aún más nervioso.

—¡Hattie, Hattie, mi vieja amiga, cuán espléndido lugar es éste! —Adam ha pasado la entrada a toda velocidad y está corriendo de una atracción a otra—. ¡Un estallido de vitalidad en medio de nuestro Millerton! —grita—. ¡Palomitas, cacahuetes, guindillas picantes, compre aquí sus guindillas picantes! Lucy y Bob Hope y... oh, caramba, Hattie, mira al cielo, ¡mira al cielo!

Miro hacia arriba pero no veo qué ve Adam allí. Sólo se divisa la estela de un avión. Espero que encontremos pronto a Leila y espero no haber cometido un error al traerlo aquí.

En primer lugar buscamos a Leila en la taquilla de la noria, y, a Dios gracias, ahí está. Cuando me ve, levanta las manos y saluda. Entonces divisa a Adam; se pone en pie de un salto y empuja a Lamar para que ocupe su puesto diciéndole:

—Tu turno.

Se desata el delantal y sale corriendo de la taquilla.

—¡Hola, Hattie! —dice—. ¿Es éste Adam?

No puedo responderle porque Adam, oscilando arriba y abajo sobre las puntas de los pies, exclama:

—¡Dichosos los ojos que te ven, Leila Cahn, sobrina del mismísimo Fred Carmel, propietario de la magnífica feria! ¡El día de hoy es una fiesta, una celebración, una reunión divina! ¡Gloria, gloria!

—¡Hola! —contesta Leila. Está sonriendo y me doy cuenta de que sabe que es Adam—. ¿Un recorrido por la feria? Ya he dado uno a Hattie.

Leila no espera la respuesta de Adam. Lo toma de la mano y, de pronto, nos metemos de lleno en el mundo de la feria. Empezamos con los juegos, donde Adam gasta algo del dinero de Nana. Cuando pierde cuatro veces seguidas se pone rígido y se le llenan los ojos de lágrimas.

—¡No está bien, no está bien! —masculla.

—¡Vamos a hacer pinturas giratorias! —propone Leila.

Eso hacemos. Cuando Adam se tranquiliza, le digo:

—¿Montamos en algo?

—En todo lo que quieras y gratis —dice Leila.

Adam se seca los ojos.

—Oh, no. No, gracias. Muchas gracias, eres la amabilidad personificada, sin duda alguna, pero montar no, gracias.

—¿No quieres? ¿Y el tiovivo? —pregunta Leila—. Algunos caballos ni siquiera suben y bajan. O puedes sentarte en un banco.

Adam sigue mirando al suelo.

—Fred es imposible marearse en un barco parado dile eso a mi estómago.

Por primera vez, Leila parece confusa. Me mira.

—Es de *I Love Lucy* —aclaro—. Creo que se sabe todos los capítulos de memoria.

Leila frunce el ceño y dice:

—¿Te mareas, Adam? Quiero decir que si te mareas en las atracciones.

—No.

Nos quedamos de piedra.

—Pero, ¿no quieres subir? —pregunto.

—Me gusta mirar la noria —dice.

—¿Sólo mirar?

—Sí.

Nos ponemos al lado de la taquilla, donde Lamar vende entradas, y nos quedamos mirando la noria.

Al cabo de un rato Adam dice:

—Tengo un poco de hambre. Me lo dice el estómago.

—Entonces vamos a comer —dice Leila.

Nos sentamos a una mesa bajo la sombra con nuestros perritos calientes y nuestras limonadas. Adam está muy tranquilo. Come mientras Leila y yo hablamos de libros. A ella le gusta leer tanto como a mí, pero nunca ha tenido un carné de biblioteca porque su familia no se queda mucho tiempo en el mismo sitio.

—Entonces ¿de dónde sacas los libros?

—Los compramos en rastros y en mercadillos de beneficencia donde venden cosas de segunda mano; y mi tía Dot siempre me manda algunos por mi cumpleaños.

—El cumpleaños de Hattie está al caer —dice Adam.

—¿Ah, sí? ¿Cuándo?

Adam vuelve a la vida.

—¡El dieciséis de julio, Leila Cahn! El dieciséis de julio. De mañana en ocho.

—¡Genial! —dice Leila—. Aún estaré aquí. Podremos celebrarlo, Hattie.

Adam empieza a dar saltos.

—¡Leila, Leila! Tengo una idea. Ven aquí.

Adam no se caracteriza por su sutileza.

Sonrío mientras lo veo empujar a Leila hasta retirarla un poco de la mesa. Le habla emocionado. Hace aspavientos con las manos y se balancea adelante y atrás. Cuando vuelven, pocos minutos después, Adam viene diciendo:

—Es un truco mental, Leila, Leila, un truco mental, te lo digo yo. Un truco de la mente. Tú naciste un lunes sin lugar a dudas. Pregúntaselo a tus padres. ¿Me dices otra fecha? Dime otra fecha de tu elección.

Leila lo complace sonriente.

A última hora de la tarde dejo a Adam en casa de Nana y del abuelo.

—Hemos comido perritos calientes —informa Adam—, y hemos mirado la noria pero no hemos subido, y hemos jugado a los juegos pero no hemos ganado nada, y Leila es amable, pero que muy, muy amable. Estudia por correspondencia. Oh, y un hombre no ha adivinado mi peso, así que me ha dado esto —Adam saca una navaja diminuta del bolsillo.

La sonrisa de Nana se desvanece.

—¡Dame eso, Adam, por favor! —le dice. Adam se lo da—. Ésta es una de esas cosas que puedes guardar pero no tocar. La pondremos en la caja del salón.

Adam se aleja dando zapatazos.

Nana hace un gesto de negación con la cabeza.

—No creo que entiendas —me dice—, y la gente del circo no lo conoce, desde luego, pero ¡aún así!

Adam le saca la lengua por detrás, mientras sube las escaleras. Yo le doy la espalda a Nana y me marcho.

Capítulo XIII

Cada vez paso más tiempo en la feria con Leila. Un día llego a casa tan tarde que veo de lejos a Ángela Valentine cuando vuelve del trabajo. Miro mi reloj. Vaya que sí, son más de las cinco.

Ángela levanta la mano y me saluda con un tintineo de pulseras. Lleva una blusa de encaje tan limpia que casi resplandece, una falda de rayas rojas, naranjas y amarillas que cae en suaves pliegues desde su cintura hasta por debajo de las rodillas, y un cinturón ancho de cuero negro. Pienso que se parece ligeramente a una gitana.

Le devuelvo el saludo y me siento terriblemente insulsa con mis pantalones cortos y mi camiseta, sin joyas de ninguna clase. Aún así, corro a su encuentro calle abajo. Tengo pocas ocasiones para estar a solas con ella.

—¿De dónde vienes? —pregunta, secándose las húmedas sienes con un pañuelo.

—De la feria —contesto.

Ángela sonríe.

—La feria. Estuvo bien.

Supongo que se refiere a la noche de la inauguración.

—¿Lo pasaste bien? —pregunto. Estoy como loca por saber algo del Frankie Avalon ese.

—Nos divertimos.

—Tú fuiste con… —sé que me estoy poniendo colorada pero aún así tengo que preguntarlo—. ¿Es tu novio?

—¿Henry?

—El del descapotable.

Ángela vuelve a sonreír, pero esta vez la sonrisa es más para sí misma.

—Bueno, hace poco que nos conocemos, pero supongo que sí, que es mi novio. Nos gustamos mucho.

—¿Por eso se juntan los novios? ¿Por gustarse mucho? —pregunto cuando enfilamos ya el camino de entrada.

—Eso y alguna cosita más, Hattie —dice y, en ese momento, nos llevamos un susto de muerte al escuchar el grito que sale de detrás de un arbusto de lilas:

—¡Hattie! ¡Hattie Owen! ¡Y la adorable Ángela Valentine! ¡Muy buenas tardes!

—¡Adam! —suelto un grito ahogado.

¿De dónde ha salido? Supongo que nos ha estado esperando, y su aparición por sorpresa ha estado a punto de provocarme un patatús.

Adam se pone un poquito demasiado cerca de Ángela y de mí cuando dice:

—Los dioses nos sonríen en este divino crepúsculo estival, nos sonríen como grandes gatos de Cheshire, gatos de Cheshire en el cielo. Hattie y Ángela, gatos de Cheshire en el cielo.

Doy un paso atrás y noto que Ángela ha dado otro. Hay algo en la sonrisa de Adam, algo en su forma de entrecerrar los ojos, que no está bien. Entonces Adam se da la vuelta, corre hacia el porche, se deja caer contra una silla y se sienta, se inclina hacia delante frotándose las manos. Ángela y yo lo seguimos y nos sentamos en el balancín. En sólo unos segundos Adam ya parece otro. Se apoya en el respaldo de la silla, su respiración se regulariza y dice:

—Ángela Valentine, esta tarde pareces un jardín de verano.

—Vaya, gracias —contesta Ángela—. Será esta blusa nueva.

—Es muy favorecedora —afirma Adam remilgado.

Observo que sus ojos se han despegado de la cara de Ángela y han aterrizado en su pecho, otra vez.

Quizá por eso o quizá no, Ángela se levanta de improviso, lo que provoca el movimiento del balancín, y dice:

—Me encantaría quedarme a charlar un rato más pero esta noche tengo una cita.

Estoy en un tris de decir "¿Con Henry?", pero no creo que a Adam le guste oír hablar del novio de Ángela. Me acurruco en el asiento, esperando una explosión, esperando que Adam salga del porche dando zapatazos, que grite, que tenga un berrinche. Pero, en lugar de eso, parece interesado en el asunto y exclama:

—¡Una cita! Una cita un lunes por la noche. Qué cosmopolita, Ángela Valentine. ¡Qué chic!

Pues sí. Justo lo que yo estaba pensando.

Ángela le dedica una sonrisa encantadora.

—Vamos a ir a un restaurante francés —añade.

El restaurante francés más cercano está en Sargentsville. Debe de ser una cita importante.

Adam dice:

—Lucy come caracoles en un restaurante francés y no le gustan lo más mínimo. No comas caracoles en el restaurante francés, Ángela Valentine.

Ángela sonríe y promete no hacerlo. Después se desliza al interior de la casa.

Observo a Adam. Por una vez no se queda mirando a Ángela. Cuando desaparece por las escaleras, Adam se pone en pie de un salto y se queda tímidamente delante de mí con las manos en la espalda.

—Hattie Owen, mi vieja amiga —dice, parece como si fuera a soltar un discurso aprendido de memoria—. Como ya sabes, tu cumpleaños es dentro de poco —hace una pausa.

Supongo que se supone que debo decir algo, así que digo:

—El sábado.

—Y Leila Cahn y yo queremos obsequiarte con algo especial. Organizaremos una fiesta para ti. Tienes que tener una fiesta de cumpleaños. Rotundalutamente. Todo el mundo tiene los amigos suficientes como para hacer una fiesta. Con uno basta. Con dos basta. Con cualquier número basta.

Adam saca una hoja de papel doblada del bolsillo y me la tiende.

La abro. Grandes y abigarradas letras escritas a mano llenan la hoja.

—¡Léelo, Hattie! —grita Adam—. ¡Léelo en voz alta!

Me aclaro la garganta.

—"Estás invitada a una fiesta. Fecha: quince de julio. Lugar: Feria de Fred Carmel. Hora: tres y media en punto de la tarde. Con ocasión de: el duodécimo cumpleaños de Hattie Owen. Ofrecida por: sus amigos Adam y Leila".

Bajo el papel.

—¡Atiza, Adam! ¡Es genial!

—Puedes venir, ¿verdad? —me pregunta. Se está retorciendo las manos y me ruega con los ojos que diga que sí.

Pero yo estoy pensando en que el cotillón de Nana es el viernes por la tarde, y ahora no sé si eso es un problema o no. No quiero que Adam se disguste y, por supuesto, no quiero ir al cotillón. Pero Nana…

Adam me mira fijamente, como se mira en un juego de sostener la mirada. Está de pie, con las manos sobre las rodillas, inclinado hacia mí, con su cara a unos centímetros de la mía. Esperando mi respuesta, supongo. ¿Cómo le voy a decir que no?

¿Cómo le voy a decir que no a Nana?

Quiero entrar en casa a todo correr y pedirle consejo a alguien. A estas horas mis padres están ocupados haciendo la cena, pero la señorita Hagerty estará en su habitación.

—Ahora mismo vuelvo —le digo a Adam.

Estoy a medio camino de la puerta cuando Adam me agarra la blusa por la espalda y tira de ella.

—¿Adónde vas?

Trastabillo hacia atrás y tropiezo con él.

—Yo…

—¿No quieres venir a nuestra fiesta?

Miro mi reloj, miro a través de la puerta mosquitera, miro la cara de Adam.

—Déjame acompañarte a casa —le digo—. Quiero enseñarle la invitación a Nana. Es preciosa, y es la primera que recibo para mi propia fiesta de cumpleaños.

Eso le hace sonreír.

Enfilamos calle abajo. Adam está hoy muy raro y yo tengo un poco de miedo. Hace montones de ruidos mientras caminamos. Mueve sin cesar las monedas que lleva en el bolsillo con el consiguiente tintineo y tararea por lo bajo. A veces deja de tararear para llenarse los carrillos de aire y vaciarlos empujándolos con los dedos índices. Tengo la esperanza de que, con un poco de suerte, cuando pasemos por las casas de Nancy y Janet la cosa se limite a tarareos y tintineos, y no haya deshinchaduras de mofletes. Pero cuando pasamos por sus casas no hay nadie a la vista.

Adam y yo doblamos la esquina de su calle y veo a Nana en los escalones de la casa. Nos saluda, intentando aparentar alegría y complacencia, pero se ve que está preocupada. Es probable que haya llamado a casa, y papá y mamá le hayan dicho que no nos han visto en todo el día.

—¡Hola, Nana! —grito—. Mira esto.

Estoy segura de que quiere decirle algo a Adam pero yo no dejo de agitar la invitación por encima de mi cabeza. Le dedica a su hijo un fruncimiento de ceño y toma la hoja de papel.

—¿Qué es esto? —pregunta.

—Me lo acaba de dar Adam —aclaro—. Él y Leila me organizan una fiesta de cumpleaños.

Nana lee el papel. El ceño continúa fruncido.

—¿Leila es la del circo…?

—Leila es Leila Cahn; su familia es la propietaria de la feria —explico—. Es mi nueva amiga.

—Y este año Hattie tendrá una fiesta de cumpleaños —añade Adam—. Le vamos a hacer una.

—Hattie celebra su fiesta de cumpleaños todos los años —dice Nana.

—Con adultos —contesta Adam—. Con sus amigos no.

Observo que a Adam se le mueve un músculo en un lado de la cara; parece que está apretando la mandíbula.

—Bueno, Adam, es un detalle muy bonito —dice Nana por fin—, pero el viernes es el cotillón y…

—Pero Hattie no quiere… —empieza a decir Adam, y por un terrible instante pienso que de algún modo sabe cómo me siento respecto al cotillón y que le va a decir a Nana que no quiero ir—. Hattie no quiere perderse su propia fiesta de cumpleaños.

—¿No se puede celebrar la fiesta el sábado? —pregunta Nana con tino—. Después de todo el sábado es el día de su cumpleaños.

—¡No, tiene que ser el viernes! —Adam se pone a gritar de repente—. ¡El sábado Leila tiene que trabajar! ¡Es el día que más trabajo hay!

Puede que el sábado sea el día de más trabajo en la feria, pero dudo que Leila tenga que trabajar.

—Adam —dice Nana con voz tranquila. Le tiende la mano pero Adam se la retira de un manotazo—. ¿Y el viernes por la noche? ¿O el domingo?

Nana da un paso atrás, tropieza con una de las columnas del porche y se apoya en ella.

—¡No! No puedo cambiar nuestros planes. Nuestros planes son importantes, ellas son importantes, yo soy importante. Hemos hecho planes. ¿Por qué no son importantes mis planes?

—Tus planes son importantes, Adam —digo—. Quiero ir a la fiesta, de verdad —miro a Nana. Aún se está apoyando en la columna.

—Pero Adam, el viernes... —dice.

La cara de Adam empieza a ponerse roja. Abre la boca como si fuera a bostezar. No, como si estuviera a punto de soltar un grito, de emitir el aullido espeluznante del monstruo de una película de terror. Me tapo las orejas con las manos, esperando. Pero entonces Adam cierra la boca y su cara se arruga. Se echa a llorar. Llora con el desconsuelo de un niño pequeño. Betsy me dijo una vez que le gustaría poder llorar así: arrugando la cara, respirando con fuerza y soltando agudos gemidos de dolor cada vez que se sintiera frustrada. Es lo que Adam hace en este momento.

Poco después sus gemidos se apagan poco a poco, se hunde en los escalones del porche y solloza quedamente.

—¿Nana? —digo.

Al principio Nana no puede responderme. Ella está también a punto de llorar, no cabe duda. Da un paso hacia la espalda de Adam, como si quisiera tocarle. Después se aleja y dice:

—De acuerdo, puedes ir a la fiesta de Adam el viernes, Hattie —se vuelve y entra en la casa.

Miro a Adam.

—Gracias por la fiesta —le digo—. Tengo muchísimas ganas de ir.

Adam no contesta.

Me siento a su lado. No sé si está bien poner mi brazo alrededor de su hombro, así que en lugar de eso me voy acercando a él, centímetro a centímetro, hasta que nuestros hombros se tocan. Adam se cubre la cara con las manos, se vuelve y se apoya en mí. Por fin sé que tocarle está bien y lo envuelvo en mis brazos.

—Nadie sabe —dice— cómo es esto.

—No —contesto, aunque pienso que yo debería saberlo mejor que la mayoría de la gente.

—Tú no eres rara, Hattie. El único raro de verdad que hay aquí soy yo.

Pero Adam se equivoca. Yo también lo soy.

Capítulo XIV

Hoy es viernes, es el último día que tendré once años. Nana nos ha invitado a comer a mamá y a mí. A veces hacemos estas comidas de chicas. Sólo que hoy Adam también asistirá. No me importa ir a casa de Nana para celebrar una comida de chicas, lo prefiero mil veces a que Nana venga a comer a nuestra casa. Cuando Nana hace una de estas comidas, lo tiene todo bajo control y cuando Nana lo tiene todo bajo control, Nana es feliz.

Las comidas de chicas se sirven en el comedor de Nana: Ermaline prepara sándwiches pequeñitos con pan sin corteza, y platitos individuales de fruta y queso; de postre tomamos té y galletas. Ermaline se queda en la cocina hasta que Nana la llama pisando el timbre oculto. Me encantaría apretar dicho timbre, pero todo aquel que no sea Nana lo tiene estrictamente prohibido. Mamá dice que siempre ha sido así. Nana es la reina.

Mamá se pone nerviosa y echa chispas antes de cada comida de chicas. Dice que es una pena tener que quitarse la ropa de trabajo en pleno día, pero la verdad es que pasa una eternidad frente al espejo, probándose ropa y joyas, y echándose perfume detrás de las orejas. No sólo lo hace para agradarle a Nana. Creo que secretamente le encanta tener una excusa, cualquier excusa, para ser la princesa de Nana.

Después, cuando mamá y yo vamos por la avenida Grant, ella me dice:

—Estás guapísima, Hattie —sus refunfuños tempranos sobre la comida de chicas han acabado—. No puedo creer que vayas a cumplir doce años. Qué barbaridad. A estas horas hace doce años, en mil novecientos cuarenta y ocho, dijeron que se aproximaba un huracán, y en su lugar llegaste tú.

Sonrío y le pregunto:

—Mamá, ¿por qué no has tenido más hijos?

—¡Dios mío! —responde mamá—. ¿A qué viene esa pregunta?

Me encojo de hombros.

—Bueno… —su sonrisa desaparece. Se aclara la garganta—. No lo sé. Supongo que llegaste tú y, como eras perfecta, decidimos abandonar mientras íbamos ganando.

Tengo en la punta de la lengua decir: "¿Quieres decir abandonar antes de tener un hijo como Adam?", pero las palabras no se materializan.

Creo que he arruinado algo, porque mamá y yo hacemos el resto del camino en silencio absoluto. Espero que Ermaline, los sándwiches de pan sin corteza, el té y las galletas le devuelvan el humor a mamá.

Adam nos recibe cuando llegamos a casa de Nana. Lleva traje y corbata.

—¡Bienvenidas, bienvenidas, Hattie y Dorothy! —exclama—. ¡Dorothy, entra, deprisa!

Da a mamá un empujoncito para que atraviese la puerta principal, entonces me agarra de la muñeca y me susurra:

—Está muy bien que tu fiesta sea esta tarde, Hattie. Ermaline organiza la comida de las chicas y dicha comida no llenaría ni a un canario, no llenaría ni a medio canario, no llenaría ni a un canario lleno. Pero no te preocupes porque podemos comer en la feria. Leila y yo lo tenemos todo planeado, no te preocupes, no te preocupes por nada.

No estoy preocupada, pero le doy las gracias a Adam y ambos entramos en casa. Se me encoge el estómago al ver a Nana. Va mucho más vestida de lo que debiera para una comida de chicas, lo que significa que ya está preparada para asistir al cotillón. Observa mi bonito pero inapropiado vestido para un cotillón y no dice nada. En vez de eso, nos conduce al comedor. La enorme mesa está puesta para cuatro personas: Nana en la cabecera, Adam a su derecha, mamá a su izquierda y yo al lado de mamá. Más de la mitad de la mesa está vacía.

Tan pronto como nos sentamos Nana dice:

—Bueno, Hattie, espero que esta tarde disfrutes de tu fiesta de cumpleaños —Adam y yo nos miramos—. Parece divertida —continúa. Ni una sonrisa—. Muy bien. Si estamos preparados para comer, llamaré a Ermaline.

Veo que Adam embiste a su izquierda y sé exactamente lo que acaba de hacer. Acaba de hacer lo que he deseado hacer yo durante toda mi vida: pisar el timbre de Nana.

—¡Adam! —protesta Nana.

Adam ataca tres veces más, lo que explica que Ermaline entre despavorida en el comedor.

—¡¿Señora?!

—Disculpe, Ermaline. Ha sido un accidente.

Ermaline duda:

—¿Les sirvo ya?

Nana le echa un vistazo a Adam.

—No sé qué decirle acerca de Adam. Adam, ¿vas a ser capaz de comer con nosotras en el comedor o hay que servirte en la cocina?

Adam se pone como un tomate. Creo que yo me estoy poniendo igual. Sé muy bien lo tentador que es ese timbre.

Adam se enfrenta con Nana y la imita:

—¿Vas a ser capaz de comer con nosotras en el comedor o hay que servirte en la cocina?

—¡Adam! —reprocha Nana.

—¡Adam! —repite Adam.

—Ni una palabra más.

—Ni una palabra más.

Nana es mayor y es menuda. Apuesto a que peso más que ella. Pero tiene una voz potente. Se levanta y la utiliza. Mira fijamente a Adam y señala la puerta del comedor.

—¡Fuera! —le dice como si se dirigiera a un perro—. ¡Fuera!

—Madre… —empieza mamá, pero no me entero de lo que quiere decirle porque Nana la hace enmudecer con una simple mirada de reojo.

Adam sale por la puerta en menos que canta un gallo, y yo me quedo con las ganas de levantarme de la mesa e ir tras él. No vuelvo a verle hasta que acabamos de comer. Mamá y Nana charlan en el vestíbulo, yo voy en su busca y lo encuentro en el salón.

Al principio no quiere hablar conmigo.

—¿Has comido algo? —le pregunto.

Adam le ha dado la vuelta a uno de los sillones y lo ha puesto frente a una ventana; allí está sentado, contemplando el jardín.

—¿Te ha dado Ermaline de comer?

Nada.

—Podemos hacer la fiesta otro día —digo por último.

Adam guarda silencio tanto tiempo que pienso que no va a contestarme. Segurísimo que no hacemos la fiesta después de todo. Me estoy preguntando si tendré que ir al cotillón, cuando Adam dice:

—La fiesta sigue en pie, Hattie. Ven a las tres y cuarto —lo dice de tal manera que es la primera vez que me parece mayor que yo, y recuerdo que es mi tío y no sólo mi amigo.

—Vale —digo.

No sé qué esperar cuando llego a casa de Nana a las tres y cuarto. Por lo que yo sé, Adam está castigado, y me temo que Nana puede agarrarme, mandarme a casa para que me cambie y obligarme a ir al cotillón con ella.

Pero Adam me recibe en la puerta y, como dice Cuqui, está tan fresco como una lechuga. Fresco como una lechuga un poco rara, la verdad. Se ha duchado y se ha lavado el pelo, se ha trazado limpiamente una raya en medio y se ha dado brillantina. Lleva pantalones cortos, camisa blanca completamente abrochada y corbata verde y roja. Calza mocasines sobre los pies desnudos.

—¡Hattie, Hattie, Hattie, mi vieja amiga! Hattie, la chica del cumpleaños. La chica que puede levantar los rincones del Universo, la chica a la que da gusto ver, la chica que tiene once casi doce años, la chica que está a punto de celebrar su primera fiesta de cumpleaños con sus amigos, la chica...

—¡Adam! —grita Nana.

—¡Adiós! —contesta Adam y sale dando un portazo—. Estamos fuera —me dice a mí.

Adam aferra una bolsa de papel marrón. Me toma de la mano y me conduce a la feria a paso tan brioso que tengo que correr para ir a su altura. Me siento como una niña que va de la mano de su padre tratando de seguir las zancadas de sus largas piernas. Adam silba el tema de I Love Lucy mientras corremos. De vez en cuando canta:

—Amo a Lucy y ella me ama a mí. ¡A dos tan felices yo nunca vi!

Cuando llegamos a la feria estoy sin resuello. Miro mi reloj. Justo a tiempo. Leila nos espera en la entrada.

—¡Feliz cumpleaños, Hattie! —grita.

—Aún no es su cumpleaños en realidad, ya sabes —dice Adam—. Es mañana, sábado dieciséis, el dieciséis de julio, aunque Hattie nació en viernes.

—Bueno, pues entonces, ¡feliz cumpleaños con un poco de adelanto! —dice Leila.

—¡Que empiece la diversión del aniversario! —vocea Adam.

—Sí, éste es tu día, Hattie —añade Leila—. Todo lo que quieras esta tarde es gratis: atracciones, comida, juegos, todo.

—¡Atiza! —exclamo. He tenido cosas gratis con anterioridad en la feria pero siempre he tratado de no pasarme.

—¿Qué quieres hacer primero, Hattie Owen? —pregunta Adam mientras salta arriba y abajo.

—Atracciones, lo primero montar en las atracciones.

Adam aterriza en el suelo y allí se queda.

—Montar —repite, y deja escapar un suspiro—. Está bien.

Sé que Adam no tiene especial predilección por las atracciones, pero sólo pienso montar en algunas. Es demasiado bueno como para decir que no.

Leila y yo empezamos con el tiovivo. Adam se sienta en un banco y nos mira. Luego vamos a las sillas giratorias; casi me pongo mala pero me encanta. Adam se sienta en otro banco. Cuando Leila y yo nos subimos a una barquilla de la noria, Adam se queda debajo, justo detrás de la taquilla y nos mira. Desde lo alto veo cómo sigue nuestro movimiento con la cabeza, girando y girando.

—¿Y ahora qué? —pregunta Leila cuando bajamos de la noria poco después.

—¿Podemos tomar un helado? —le digo. No quiero propasarme.

—Claro que sí —contesta Adam—. Helado por todas partes. Con mucho gusto, con mucho susto, congelados nos quedamos por un buen helado... Leila, Leila, ven aquí.

Adam le susurra algo al oído y Leila asiente.

—De acuerdo —dice—. Vete por el helado con Hattie. Enseguida vuelvo.

Adam y yo nos sentamos a la mesa de un merendero con tres copas de helado de vainilla.

—¿A qué esperamos? —le pregunto.

—Ya lo verás —dice. A continuación se pone a cantar—: ¡Cumpleaños feliz, cumpleaños feliz!

Se le suma la voz de Leila, que aparece sosteniendo un pequeño pastel con cuatro velas, las llamas inclinándose a un lado en la cálida brisa.

—¡Te deseamos, Hattie! —cantan los dos—. ¡Cumpleaños feliz!

Leila ha hecho el pastel. Dice que es su regalo de cumpleaños. Adam me tiende entonces la bolsa de papel:

—Y éste es el mío.

Abro la bolsa y saco una pequeña caja de madera.

—La he hecho yo.

—¿En serio? —la caja es exquisita. Tiene un cierre redondo en el borde. Lo levanto y miro dentro. Madera pulida. Suave.

—Puedes llevarla en el bolsillo y guardar en ella las monedas —sugiere Adam—. La hice en mi colegio, en mi antiguo colegio. No voy a volver allí, ¿sabes?

—¡Adam, es preciosa! —exclamo. Me gustaría abrazarle, pero no me atrevo por el estado de excitación en que se encuentra: brinca y se balancea en el asiento. Por eso busco con mi mano por encima de la mesa y tomo la suya.

El resto de la fiesta es perfecto. Comemos manzanas de caramelo y jugamos a varias cosas. Adam gana un animalito de peluche. Elige un pequeño tigre azul, y le hace tan feliz que salta arriba y abajo en estado de completo éxtasis, retorciéndose las manos y cantando:

—¡Soy el lirio del valle! ¡Soy el lirio del valle!

Sospecho que es de algún show de Lucy. Más tarde pierde el tigre, pero no le importa en absoluto. Lo que quería era ganarlo.

Cuando volvemos a casa le digo a Adam que ha sido la mejor fiesta de cumpleaños de toda mi vida.

—¡Quiero a Lucy y ella me quiere a mí! —canta él.

Tengo la caja de madera en el bolsillo y pienso lo bonito que será llevar siempre conmigo un recuerdo de Adam.

Capítulo XV

El día de mi cumpleaños, el día de verdad, cuando cumplo doce años a las 2:22 de la tarde, papá y mamá me dan otra fiesta. La fiesta es igual todos los años. Los invitados son siempre los mismos: mamá, papá, Nana, el abuelo, Cuqui y nuestros huéspedes; la única diferencia es que este año Adam también asiste.

—¿Tienes la caja, la cajita de madera, tu regalo de cumpleaños, Hattie? —Adam empuja nuestra puerta de entrada adelantándose a Nana y al abuelo, los cuales entran detrás acarreando bolsas llenas de regalos—. Los demás te dan hoy sus regalos —prosigue—, pero yo ya te he dado el mío. Te gustó, ¿verdad?, Hattie, te gustó el regalo, ¿no? A Ethel no le gustó nada el de Lucy. Bueno Ethel yo… yo creo que son bastante estilosos pero qué es bueno es el tipo de pantalón que puede llevar la anfitriona cuando organiza una cena elegante oh claro siempre me estoy preguntando qué ponerme en todas esas cenas elegantes que doy.

—La cajita me encanta —le aseguro a Adam—. La llevo aquí, en el bolsillo, ¿ves? —la saco, se la enseño y la agito para que oiga que la utilizo para guardar las monedas, como él me dijo.

Papá filma la fiesta, faltaría más. Me graba abriendo los regalos, nos graba a todos sentados a la mesa con gorritos de papel, me graba a mí cortando la tarta, graba a Adam metiendo el dedo en ella y arrancando la rosa de azúcar de mayor tamaño para su propio disfrute. Afortunadamente las películas de papá no tienen sonido porque si no, cada vez que la pusiéramos, tendríamos que oír los berridos que profiere Nana mientras Adam saborea la rosa y va en busca de otra con el mismo dedo pringoso que acaba de relamer. La grabación termina en ese momento, y el abuelo le dice a Adam que se vaya al coche y se quede allí.

—¡No, por favor, deja que se quede! —ruego yo—. No me importa lo de la tarta.

—Bueno, pero a mí sí me importa —replica Nana—. Adam lo sabe muy bien.

—Pero yo quiero que se quede. ¡Es mi cumpleaños!

Sin embargo, Adam ya no me oye. Acaba de salir a la calle dando un portazo y se aleja de la casa a grandes zancadas.

Papá deja la cámara. El comedor se queda en silencio. La señorita Hagerty y el señor Penny contemplan sus platos. Cuqui examina una miga de su tenedor. Ángela Valentine se levanta de golpe y dice que tiene que ir al pueblo a causa de un asunto urgente. Así que la fiesta se da por terminada.

Nana y el abuelo se van a su casa. Lo más probable es que encuentren a Adam por el camino. Estoy preocupada por el disgusto que se ha llevado, pero nadie hace ningún comentario al respecto. Mamá me dice:

—Hattie, es tu cumpleaños. Hoy nada de tareas ni de limpieza y no hace falta que nos ayudes con la cena. Vete a hacer lo que quieras el resto de la tarde.

Lo que quiero es leer, así que agarro la pila de libros nuevos que acabo de recibir y me siento con ellos en el porche hasta que Cuqui me avisa de que la cena está lista.

Las invitaciones para la fiesta de Nana y el abuelo están impresas en tarjetas de color crema con los bordes dorados y van cubiertas por una lámina de papel de seda. He pasado los dedos muchas veces sobre las letras en relieve desde que la recibimos. La cena se celebra el sábado siguiente al de mi cumpleaños. Hemos clavado la invitación con una chincheta en el tablón de la cocina hace días. Seguro que a Nana no le gustaría ver algo tan fino con un agujero en medio, clavado al lado de un montón de estampillas canjeables y de cupones del supermercado.

Nana y el abuelo dan una cena elegante dos veces al año: por Navidad y en verano. Me había preguntado si este año iban a posponerla hasta haber encontrado un nuevo colegio para Adam, pero parece ser que no. Sin embargo, me apuesto lo que sea a que Adam no va a estar presente. Por una simple razón: nunca hay niños en esas cenas. Ya sé que Adam no es exactamente un niño, pero se parece bastante. Y, de cualquier modo, Nana quiere que sus fiestas sean perfectas. No le haría gracia que uno de los presentes se dedicara a meter la mano en los entremeses variados y a recitar diálogos de I Love Lucy.

Lo que significa que Adam y yo nos quedaremos solos el sábado por la noche. Seguramente, Adam pasará la velada en su habitación y yo la pasaré en la mía, leyendo mis libros nuevos. O podría charlar con la señorita Hagerty, pero está empeñada en enseñarme a bordar, y yo no tengo el menor interés. También podría ir a la feria. No he vuelto a ir por la noche desde que fui con mis padres. Leila y yo podríamos montar en las atracciones cuando estuvieran iluminadas y sentarnos en la oscuridad en una mesa del merendero comiendo helado mientras sale la luna.

No sé si me dejarán ir.

Una noche, mientras vemos las noticias en la televisión, lo pregunto:

—El sábado, cuando sea la cena de los abuelos, ¿puedo ir un rato a la feria?

—¿Por la noche y sola? —dice mamá—. Pues no sé…

—Estaría con Leila. Puedo estar todo el rato con ella.

Mamá y papá se miran.

—Los padres de Leila están siempre por allí —añado.

—Bueno, pues ve si quieres —dice mamá.

—Siempre que esperes allí a que yo vaya a buscarte después de la cena —añade papá—. No quiero que vuelvas a casa sola a esas horas.

—Te esperaré —prometo.

El día después le cuento a Leila mis planes, y ella pregunta:

—¿Y Adam? ¿Va a venir también?

Aunque Adam no va a salir de su habitación, seguro que no lo dejan ir a la feria por la noche sin la compañía de un adulto.

—No creo —le digo a Leila.

Pasado un tiempo, después de todo lo que hizo Adam esa noche y los días posteriores, no soy capaz de entender por qué le pedí que se escabullera de su casa y viniera a la feria conmigo. Quizá ni siquiera importe. Se me ocurrió de repente y Leila y yo hablamos y hablamos sobre ello, sabiendo que estaba mal, pero atraídas por la audacia de la idea.

—No está bien que Nana y el abuelo lo obliguen a quedarse en su habitación durante la fiesta —digo.

—Como si hubiera que esconderlo —dice Leila.

—Se va a divertir mucho más en la feria —añado—, y no la ha visto nunca de noche.

—Le puedes decir que salga de la casa cuando empiece la cena.

—Pues sí.

—¿Pero, entonces, qué vas a hacer con él cuando tu padre venga a buscarte?

Buena pregunta.

—Puedo decirle que Adam ha venido a la feria por su cuenta, que nos hemos encontrado con él aquí.

Leila tiene sus dudas.

Por último decido que no hay manera de hacerlo sin meterse en algún tipo de lío, y es un riesgo que estoy dispuesta a correr. Quiero que Adam tenga una noche loca, emocionante, sin nadie que le diga que use sus modales de fiesta. Una noche sin Nana cerniéndose sobre él, tratando de que sea perfecto.

Dentro de nada Leila se marchará y Adam ingresará en un nuevo colegio, no volveremos a tener esta oportunidad.

El viernes, día anterior a la cena de Nana y del abuelo, le cuento a Adam la idea.

—¡Oh, oh, qué aventura, Hattie Owen! Una aventura en verdad. Mejor que cuando Lucy va a Hollywood. Mejor que cuando va a Europa o a Florida. ¡Mejor que su aventura marciana con Ethel! Me apunto, me apunto, Hattie, será un honor para mí asistir.

—Pero tienes que acordarte de no decir nada ni a Nana ni al abuelo.

—Son malignos, son personas malignas —contesta Adam con muchos misterios.

—Te espero mañana por la noche, a las siete y media, en la esquina. Y, recuerda, que nadie te vea salir de casa.

—Muy bien, bingo, corto y fuera.

La noche siguiente Adam ya me está esperando cuando llego a la esquina.

—¡Hattie! ¡Hattie! —salta arriba y abajo—. Lo he hecho, me he fugado y nadie me ha visto. ¡He salido del loquero gracias a una invitación! ¡Que empiece la diversión!

Bajamos por la calle a todo correr, con miedo de que alguien nos vea. Adam da vueltas sobre sí mismo, salta, tararea y canta:

—¡Amo a Lucy y ella me ama a mí!

Llegamos a la feria cuando están encendiendo las luces. Vemos desde el aparcamiento cómo cobran vida las oscuras siluetas.

—Magia —susurra Adam mientras aparecen de pronto a lo lejos las sillas giratorias y la noria.

Nos dirigimos a la entrada, donde Leila nos espera. Detrás de ella está el tiovivo, un resplandor dorado que le ilumina el pelo. Adam tiene razón. Leila parece mágica, el tiovivo parece mágico, en esta aventura prohibida estamos rodeados de magia.

Adam, abrumado, apenas puede hablar. Contempla el tiovivo dos vueltas seguidas, después mira a su izquierda y ve la noria. Sigue su movimiento de rotación con la cabeza.

—¡Es fantástico! —susurra por último.

—¿El qué? ¿La noria? —pregunta Leila.

—Sí —Adam sigue susurrando—. Vamos a montar.

—¿De verdad? ¿Quieres subir a la noria? ¿Estás seguro? Adam asiente.

—Vale —decimos Leila y yo al mismo tiempo.

Lamar está en la taquilla y nos saluda cuando nos ponemos en la fila. Nos vamos acercando lentamente hasta llegar a los cuatro escalones de madera que conducen a las barquillas. El señor Cahn está en la plataforma y nos ayuda a subir.

—Yo me siento al lado de Adam —digo.

El señor Cahn nos abrocha los cinturones de seguridad, los comprueba y los vuelve a comprobar.

—Listo —dice—. Todo preparado.

Baja una barra sobre Adam y sobre mí, y otra sobre Leila. Adam se agarra con fuerza a la barra. Sus nudillos se ponen blancos.

Leila le mira las manos, me mira a mí, vuelve a mirar a Adam.

—¿Seguro que quieres hacerlo? —le pregunta—. Mi padre nos puede dejar salir todavía.

Adam niega con la cabeza. No sé muy bien qué quiere decir. ¿No quiere continuar? ¿No quiere salir? Pero ya no importa porque, de repente, nuestra barquilla salta hacia delante y nos elevamos. Subimos por encima de la feria; las luces caen bajo nosotros.

—¡Oh, jou, jou, jou! —grita Adam.

Una mujer de la barquilla que está por debajo de la nuestra mira hacia arriba para observar a Adam: le saco la lengua.

Llegamos a lo más alto y desde allí, se mire por donde se mire, extendidas bajo nosotros, se ven las luces de Millerton. Somos el sol y tenemos el Universo a nuestro alrededor, eso pienso cuando Adam dice quedamente:

—Es el país de Nuncajamás, es Oz, es Nirvana. Oh, es el centro del Universo.

Levanta la cabeza para mirar las estrellas.

Nuestra barquilla vuelve a girar hacia el suelo, vuelve a subir, se desliza hacia abajo, sube una vez más. La tercera vez que llegamos arriba se escucha un gran chirrido metálico y nos paramos de golpe; las barquillas oscilan.

—¿Qué pasa? —le pregunto a Leila.

—Debe haberse atascado. Pasa a veces. Mi papá siempre lo arregla.

Echo un vistazo a Adam.

—¡Qué suerte tenemos! —añade Leila—. Nos hemos parado en lo más alto. Es el mejor sitio para quedarse parado. Puedes mirar las vistas todo lo que quieras.

—Creo que se ve la avenida Gra…

—¡Oh, jou, jou, jou!

—¿Adam? —digo; su grito no es de alegría.

—¡Oh, jou, jou, jou, oh, jou, jou, jou, OH, JOU, JOU, JOU! —su voz aumenta de volumen sílaba a sílaba, y cuando aúlla el último "jou" estampa sus manos contra la barra.

La mujer de la barquilla inferior se vuelve para mirarle otra vez, y alguien de otra barquilla grita:

—¡Cállate ya, estúpido!

—Adam —dice Leila—, ya te lo he dicho, papá lo arreglará. Esto pasa muy a menudo.

Adam no la escucha. Sigue aullando y aullando y aullando. No emite palabras, sólo sonidos terroríficos. Me tiemblan las manos. Recuerdo cómo le consolé en el porche, pero ahora no me atrevo a tocarlo.

Quiero deslizarme por debajo de la barra y arrastrarme hasta Leila. El extraño que tengo al lado me da miedo.

Capítulo XVI

Adam —insiste Leila—, mi papá va a arreglar la noria —habla muy despacio y muy claro.

Adam echa la cabeza hacia atrás y aúlla:

—¡Abajouuu!

—Lleva su tiempo —le dice Leila.

—¡Que alguien haga callar al hombre lobo ese! —vocea el hombre que lo había llamado estúpido.

—Cállese usted, usted es... —empiezo a decir, pero Leila se inclina hacia mí y me pone la mano sobre la muñeca.

—No le digas nada —susurra.

Ni siquiera sé qué le iba a llamar, pero no acabo la frase.

—¡Arregla la maldita barquilla! ¡Arregla la maldita barquilla! ¡Oh, jou, jou, JOU!

Me vuelvo en el asiento hasta quedar sentada de lado.

—Adam —digo mirándole a la cara. Él no quiere mirarme—. ¡Adam!

Está aporreando la barra.

—¡Adam!

Bang, bang, bang.

Extiendo la mano para asirle, no se me ocurre otra cosa para llamar su atención. Me golpea el brazo con tanta fuerza que me tira contra el lateral de la barquilla. Me arde el hombro.

—¡ADAM! —grito.

—No me toques, pedazo de... —las últimas palabras de Adam se pierden en un estallido de actividad. Se está balanceando hacia delante y hacia atrás, delante y atrás, y nuestra barquilla se balancea con él. Al mismo tiempo trata de subir la barra sobre nuestras cabezas, y es tan fuerte (observo cómo se tensan sus músculos) que es posible que lo consiga.

Leila se asoma por la barquilla, mira hacia abajo y grita:

—¡Papá! ¡Papá!

—¡Nos estamos dando toda la prisa que podemos! —contesta el señor Cahn.

—Pero papá, el chico está...

En ese momento, con un gran chirrido metálico, Adam consigue levantar la barra. A continuación se pone en pie.

Leila y yo nos lanzamos hacia delante.

—¡Adam, siéntate! —ordena Leila.

—¡Cállate, cállate, cállate! —aúlla Adam; pero se sienta.

Miro las barquillas que están por encima y por debajo de nosotros. El hombre que ha insultado a Adam grita instrucciones a alguien de abajo, y la mirona sigue mirando, pero ahora nos mira a Leila y a mí en vez de a Adam, y parece preocupada.

—Con calma, niñas —dice—. Todo saldrá bien si mantenemos la calma. ¡Sujetadlo!

Apenas la oigo. Adam ha vuelto a ponerse en pie y ha sacado una pierna de la barquilla.

Empiezo a gritar.

La mujer grita al mismo tiempo:

—¡Vuelve a la barquilla!

El hombre grita:

—¡Policía! ¡Que alguien llame a la policía!

—¡Está en camino! —vocea el señor Cahn desde abajo.

La policía, ay Señor, la policía.

No me importa lo que me haga Adam, pero no puede, simplemente no puede tirarse. Estamos... ¿a qué altura? ¿Dos pisos? ¿Tres? ¿Más?

—Leila, ayúdame —digo—. Agarra sus brazos.

Leila y yo lo asimos por los brazos y tiramos de él hacia atrás. Los tres caemos al suelo de la barquilla.

—¡Abajo! ¡Abajo! —Adam mueve brazos y piernas como aspas de molino. Da golpes, da patadas, se pone de rodillas y por último se queda en un asiento.

La expresión de su cara es de absoluto terror. Recuerdo cuando, hace más o menos un año, asusté a mi padre con una vieja máscara de Halloween. Sólo había querido darle una sorpresa, hacerle reír, pero en lugar de eso le di un susto de muerte, y no olvidaré mientras viva la expresión de su cara. Era la aterrada expresión que te recuerda que lo racional o lo adulta que sea una persona no importa; una parte de ella está absolutamente segura –sabe– que existe otro mundo: un mundo demoníaco paralelo al que conocemos; un mundo que puede chocar con el nuestro, tranquilo y predecible, cuando menos lo esperas... Bueno, pues eso es lo que está pasando en este momento.

Miro a Adam y veo que sigue aterrorizado, aterrorizado por completo. ¿Se sentirá así con mucha frecuencia?

—¡La policía está en camino! —vuelve a decir el señor Cahn.

En ese momento una persona profiere un grito, y otra, y otra más.

—¡Hattie! —chilla Leila—. Levanta.

Me pongo en pie como buenamente puedo. Adam, ya sólo con un pie en la barquilla, se abre paso por las iluminadas barras de metal de la estructura de la noria.

—¡Sujetadlo! —vocea la mujer.

Justo cuando Leila y yo lo alcanzamos, la noria se pone en marcha.

—¡Adam, ya está arreglado! —dice Leila.

—¡Vuelve! —exclamo.

Oigo una sirena a lo lejos. Sin embargo, Adam no quiere volver a la barquilla; mientras la noria desciende, lo único que podemos hacer Leila y yo es agarrarlo por el tobillo y sujetarlo con fuerza hasta que lleguemos abajo; me da la impresión de que el señor Cahn hace que la noria se mueva más deprisa que de costumbre.

Adam nos propina patadas, intentado librarse de nosotras. Patalea con tanta fuerza que me retiemblan los dientes, pero no pienso soltarle.

Por último la noria se para. Leila y yo estamos aún luchando cuando los agentes de policía sujetan a Adam, lo despegan de las barras de metal y lo arrastran al suelo, donde intentan ponerle unas esposas.

—¡Esperen! —digo—. ¡No le hagan daño! —Leila y yo vamos volando detrás de ellos—. Déjenlo en paz.

Pero de eso no estoy tan segura. Adam grita:

—¡Oh, jou, jou, jou!

Y lucha con los agentes, retorciéndose, pataleando y mordiendo. Intentan ponerle las esposas.

—¿Todo bien? —el señor Cahn ha aparecido; con un brazo estrecha a Leila y con el otro a mí.

—Estamos bien —responde Leila, aunque estamos arañadas, despeinadas y con desgarrones en la ropa.

Se ha reunido una gran multitud. Empezó a congregarse cuando se paró la noria y ahora el gentío es considerable. Miran a Adam, miran a los policías. Nadie dice gran cosa, pero se les nota en la cara lo que piensan de Adam. Se alegran de no que no sea un familiar suyo, de que otras personas deban hacerse cargo de él.

La señora Cahn se las apaña para abrirse camino entre la multitud y reunirse con nosotros; me da un abrazo.

—Todo va a ir bien, Hattie —dice.

Quiero poner la cabeza en su hombro, quiero desaparecer en ella, quiero olvidarme de Adam, pero no puedo dejar de mirarlo.

—¡Hattie! ¡Hattie! —dos figuras más avanzan entre la multitud: papá y el abuelo.

—¡¿Qué pasa aquí?! —grita papá, con aspecto amedrentado.

El abuelo se acerca a los policías:

—¡Eh! —dice. Extiende una mano hacia Adam pero uno de los agentes le impide el paso:

—Lo siento señor Mercer.

—¿Qué ha pasado? —me pregunta papá.

—Estábamos en la noria y se atascó y Adam... se ha vuelto como loco.

—Pero ¿qué estaba haciendo Adam aquí?

—Ha venido conmigo... —empiezo a decir.

Me detengo porque uno de los agentes se las arregla por fin para cerrar las esposas en torno a las muñecas de Adam. Lo sujetan por los brazos y lo obligan a avanzar entre el gentío.

—¡Circulen! —ordenan los policías; la gente se aparta lentamente, sin dejar de mirar a Adam.

—¡¿Adónde lo llevan?! —grita el abuelo. Corre detrás de ellos, con su esmoquin y sus zapatos negros de vestir llenos ahora de polvo.

—Al hospital —contesta uno.

—¿Es necesario?

Papá me tiene agarrada por el codo y tira de mí para ir detrás del abuelo, Adam y los agentes. Miro por encima del hombro buscando a Leila, pero con tanta gente no la veo.

—¡Hattie —ordena papá con aspereza—, vamos!

Los policías no han contestado la pregunta del abuelo. Obviamente es necesario llevar a Adam al hospital, porque aún no ha dejado de luchar. Incluso cuando los agentes lo levantan del suelo y tratan de llevarlo en volandas, él no deja de retorcerse y de propinar patadas.

No me sorprende mucho ver que se acerca una ambulancia. Los agentes arrastran a Adam hacia el vehículo; un segundo más tarde le abrochan una camisa de fuerza y lo meten dentro. El abuelo sube detrás de él.

—Vamos al Santa María —dice antes de que cierren las puertas y la ambulancia se dé la vuelta y arranque. Se van en silencio pero a gran velocidad.

Miro a papá. Empieza a hablar muy deprisa:

—Bueno. Vamos al coche y volvemos a casa de los abuelos. Llevo a Nana al Santa María, y tú te quedas con tu madre y ayudas a Ermaline y a Sherman a despedir a los invitados y a limpiar... El Santa María... ¿Dónde está el Santa María?

Papá me arrastra por la feria a todo correr. Veo nuestro Ford en la entrada. Está aparcado todo torcido y tiene una puerta abierta.

—Entra —dice papá. Salto a su lado—. Y ahora haz el favor de contarme cómo ha aparecido Adam aquí esta noche.

Me miro fijamente las manos y mascullo la verdad.

—¿Cómo? —dice papá.

—Que le dije que viniera conmigo para que no tuviera que pasar la velada solo en su habitación —digo más alto—. No me pareció nada malo.

—¿Les pediste permiso a Nana y al abuelo? —papá me mira y yo muevo la cabeza de izquierda a derecha, de derecha a izquierda—. ¿Por qué?

—Porque pensé que me iban a decir que no.

Papá mira al frente mientras conduce; salimos a toda velocidad del aparcamiento y nos dirigimos a casa de los abuelos. No dice nada. No es necesario. Sé lo que está pensando, y sé que me he metido en un buen lío.

Capítulo XVII

Hay días en los que desearía no vivir en una estúpida casa de huéspedes, en los que desearía levantarme como una persona normal sin tener que escuchar miles de relojes de cuco, sin tener que tropezarme con el señor Penny sin afeitar por el pasillo, sin tener que prepararle el desayuno a la señora Hagerty. Esos días me encantaría despanzurrar los relojes del señor Penny y estampar contra el suelo los adornitos polvorientos de la señorita Hagerty. Y me gustaría sentarme a desayunar con mi padre y mi madre y nadie más, y no tener que mirar a una Ángela Valentine más guapa de lo que yo seré nunca.

Así es cómo me siento casi todos los días de la semana siguiente al desmoronamiento de Adam en la feria.

El domingo por la tarde, cuando aún no han pasado ni veinticuatro horas desde que la policía se lo llevó, Adam vuelve a casa. Creo que los médicos querían que se quedara más tiempo ingresado, pero el abuelo tiene una conversación con ellos, hace una generosísima donación al hospital y, a renglón seguido, Adam y él se marchan a casa.

Todos están enfadados conmigo.

El domingo tengo varias conversaciones con papá y mamá. La noche antes, cuando mamá y yo ayudamos a Ermaline y a Sherman con la arruinada cena, mamá no quiso dirigirme la palabra. Lo hace el día siguiente:

—¿Tienes idea de lo que has hecho, Hattie?

Estamos en el salón, a última hora de la mañana. Papá y mamá están sentados en el sofá, en un extremo, bien juntitos, como si necesitaran protegerse el uno al otro. Estoy sentada en una silla con las piernas cruzadas.

—Sé que no debería haberle dicho a Adam que se escapara de su casa —digo—, pero ¿qué tiene que ver eso con todo lo demás? Ya había estado en la feria, sólo que antes no había querido montar en nada.

—¡Hattie —advierte papá—, estás pisando terreno peligroso!

Abro la boca; la cierro.

—Adam es hijo de Nana y del abuelo —dice mamá.

—Pero no es un niño —protesto.

—¡Hattie! —dice papá.

—En cierta forma sí lo es —continúa mamá—. Pero sea como sea, tú no puedes tomar decisiones sobre él. Eso les corresponde a Nana y al abuelo. Y creo que tú lo sabes, Hattie, o habrías pedido permiso para llevar a Adam a la feria. ¿Por qué no lo hiciste?

—Porque Nana y el abuelo habrían dicho que no —digo esto con un gran suspiro.

—¿Y por qué crees que habrían dicho que no?

Lo que quiero decir es: "Porque son malos".

Pero me lo pienso mejor y, sacudiendo la cabeza, lo que digo es:

—No sé.

—Porque es demasiado para Adam: salir de noche a una feria... demasiados estímulos, demasiadas emociones... —la voz de mamá se va apagando, como si recordara algo.

—No habría pasado nada si la noria no se hubiese parado —digo.

Mamá me dice que no con la cabeza.

—Hattie —interviene papá—, aunque la noria no se hubiera parado, ¿qué crees que habría sucedido si a Nana o al abuelo se les ocurre subir las escaleras durante la fiesta y descubren que Adam no está?

—No sé.

—Hay que pensar mejor las cosas.

—Pues dime tú cuándo piensas en Adam. Nunca. Ni una sola vez.

—Créeme, Hattie, yo siempre pienso en él —dice mamá tensa.

—Pero ¿en qué estabas pensando? —pregunta Nana.

Es domingo por la noche. Adam está en su casa. Todavía estoy a malas con papá y mamá, y no se me permite salir hasta el sábado. Nana ha venido para tener la correspondiente conversación conmigo.

¿Que en qué estaba pensando? ¿Cómo le puedo decir a Nana en lo que estaba pensando?

—Sólo pensaba en que a Adam le gustaría divertirse —contesto. Me retuerzo en la silla.

—¿Te crees más lista que nadie? ¿Más que el abuelo? ¿Más que yo?

Me encojo de hombros:

—Pues a lo mejor —digo; la expresión de Nana se endurece—. Adam quiere divertirse, como todo el mundo —añado—, pero es mejor tenerlo escondido en su habitación, ¿no? Es más fácil vivir fingiendo que Adam no tiene problemas…

—¡Hattie! —exclama Nana estampando la palma de la mano contra la mesa y tirando un platito de porcelana al suelo.

La miro, primorosamente sentada, con las piernas cruzadas hasta los tobillos. Lleva un traje de verano azul pálido, guantes y un sombrerito con pájaro.

—Hattie —repite inclinándose a recoger el plato. Cuando lo ha dejado cuidadosamente sobre la mesa continúa—: No sé cómo surgieron los planes de anoche, pero alguna idea tengo, así que te prohíbo que vuelvas a la feria.

—¿Cómo?

—Antes de conocer a esa chica no hacías cosas así…

—¿Leila? ¡Ella no tiene la culpa!

—Perdona, Hattie, pero estoy hablando yo.

—Lo siento.

—Y lo que digo es definitivo: se acabó la feria.

—Pero Leila no tiene teléfono. Tengo que verla, por lo menos para decirle…

Nana me mira con tanta dureza que me hace callar.

—Es mi última palabra —dice. Se pone en pie—. Anoche pudo pasar algo mucho peor, Hattie. Te lo aseguro.

Miro fijamente a Nana. Pasado un segundo añado:

—¿Puedo verle? —Nana parece confundida, así que aclaro—: A Adam, que si puedo ver a Adam. Me gustaría saber cómo está.

—Está bien. Necesita tiempo para tranquilizarse. No quiero que te vea todavía.

—Vale —me levanto volando de la silla, corro a mi habitación y cierro la puerta con un buen portazo.

No tenía sentido pedirles a mis padres que hablaran con Nana. No se enfrentarían a ella. Nunca lo hacían. Por eso decidí no volver a hablarles, ni a ellos, ni a Nana, ni al abuelo.

Lo que hicimos Leila y yo estuvo mal, pero ahora me han metido en algo muy distinto. Algo sobre Adam y los adultos y las cosas que ocurrieron antes de mi nacimiento, quizá incluso antes de que nacieran Adam, mamá y el tío Hayden.

Acabo de decidir que odio a mi familia.

Los Strowsky llegan el miércoles. Estoy sentada en los escalones del porche masticando un pelo, sin ayudar a Cuqui en la cocina, preguntándome cómo se sentirá Adam en esa enorme casa con Nana y el abuelo, y deseando que mamá, papá, Nana y el abuelo hubieran muerto para así poder vivir con Ángela Valentine, cuyo aspecto he decidido que puedo soportar. Además, estoy escribiendo una carta en mi mente a Leila y tratando de averiguar la dirección de la feria.

Mientras mastico y miro al frente, un Ford incluso más viejo y más baqueteado que el nuestro aparca junto a la entrada. Lo conduce una mujer. A su lado se apretujan un niño y una niña. El resto del coche está atestado de maletas y cajas de cartón.

La mujer se baja. Sostiene un trozo de papel en la mano. Mira al papel, mira nuestra casa, vuelve a mirar al papel. Cierra la puerta del coche, se asoma por la ventanilla y les dice algo a los niños.

Me pongo en pie mientras la mujer se aproxima a casa. Levanta la mano para protegerse los ojos del sol.

—¡Hola! —saluda—. ¿Es ésta la pensión Owen?

—Sí.

—¿Vives aquí?

—Sí.

—¿Sabes si hay habitaciones libres?

—Bueno —digo—, en realidad no.

Todas las habitaciones están llenas. Sólo está libre la habitación de invitados y ésa es muy pequeña.

—¡Oh!

La mujer deja caer los brazos y se da la vuelta.

Miro al coche y veo al niño y a la niña observándonos a través de la ventanilla abierta.

—Espere —digo—. Debería hablar con mis padres.

Lo que significa que yo debo hablar con ellos... después de casi tres días sin dirigirles la palabra.

Estoy más enfadada con mi madre que con mi padre, así que corro escaleras arriba hasta el estudio de papá, aporreo la puerta y grito:

—¡Hay una persona abajo que quiere verte! ¡Necesita habitación!

Cuando vuelvo al porche la mujer se ha sentado en una silla y los chicos en el balancín. La niña parece de mi edad; el niño es algo más pequeño. Tienen el pelo más rojo y las caras más tristes que he visto en mi vida. Los tres guardan absoluto silencio, se limitan a esperar.

—Mi papá bajará dentro de un momento —digo.

Pasados unos tres minutos papá sale por la puerta, seguido de mamá. Papá se desempolva las manos en los pantalones, mamá se seca las suyas con el delantal.

—Soy Jonathan Owen —dice papá—, y ésta es mi esposa, Dorothy. ¿En qué podemos ayudarla?

La mujer se ha levantado. Tiende la mano a papá y dice:

—Me llamo Barbara Strowsky. Ésta es mi hija, Catherine, y éste mi hijo, Sam —señala a los niños; ellos miran pero no sonríen—. Necesitamos... Necesitamos un sitio para quedarnos unos días. Estamos... Estamos... —se le llenan los ojos de lágrimas.

—¿Por qué no viene dentro? —dice mamá, agarrándola de la mano—. Hattie, quédate aquí con Catherine y Sam. Pregúntales si quieren limonada.

Esta tarde los Strowsky ya están instalados. Se quedan en la habitación de invitados, apiñados los tres, la señora Strowsky y Catherine en la cama de matrimonio y Sam en la pequeña cama plegable que guardamos en el ático.

Y yo ya me hablo otra vez con papá y mamá. Tengo que hablar con ellos si quiero enterarme de la historia de los Strowsky.

Es una historia triste. Habían vivido en Maryland hasta dos días antes, pero el señor Strowsky murió repentinamente y la señora Strowsky decidió que no podía seguir en su antigua casa ni en su antigua ciudad. Por eso cargó el coche y se dirigió hacia el norte buscando un lugar donde ella y sus hijos pudieran volver a empezar.

—Aquí no conocen a nadie —me dice mamá—. Y tienen poco dinero. La señora Strowsky va a buscar trabajo.

—¿Cómo vinieron a parar a Millerton? —pregunto—. ¿Van a quedarse aquí?

Papá se encoge de hombros.

—Aún no lo saben. Supongo que quieren ver si les va bien o no. Les hemos dicho que pueden quedarse aquí gratis durante un mes, hasta que encuentren algo.

—La señora Strowsky va empezar a buscar trabajo mañana —concluye mamá.

Pienso que eso significa que Catherine y Sam estarán dando la lata todo el día mientras su madre no está, pero me equivoco; sólo me los encuentro en las comidas. Son los chicos más callados que he visto en mi vida.

Durante el resto de la semana ellos son reservados y yo soy reservada. A parte de eso, me amarga la vida pensando en Adam. Por primera vez desde que llegó a Millerton me pregunto qué hará todo el día solo en su casa. Trato de acordarme de cuando ponen *I Love Lucy* en la televisión. Seguro que Adam la ve. Pero ¿qué más hace? Y ¿cómo se comporta en casa? ¿De qué hablan él, Nana y el abuelo? ¿Hablan?

Me doy cuenta de que no conozco a mi tío.

Al mismo tiempo me da la impresión de que nos parecemos tanto que podríamos ser hermanos.

Capítulo XVIII

El sábado acaba el castigo impuesto por mis padres, así que ya se me permite salir de casa. Pero el castigo de Nana no tiene fecha de expiración, así que a la feria no puedo ir.

Por la mañana el hombre del tiempo dice que va a ser un día muy caluroso, el más caluroso con mucho del verano. A mediodía el termómetro de nuestro patio marca casi 40 grados, pero está al sol, por lo que deduzco que en el porche habrá 37 ó 38. Me llevo un polo de la nevera y me siento en el balancín mientras decido qué hacer. Llevo la caja de Adam en el bolsillo, repiqueteando con el cambio. Podría ir paseando hasta el centro del pueblo pero el calor es sofocante, y no tengo muchas ganas de hablar con los Finch, el señor Shucard o la señora Moore.

Lo que me apetece de verdad es ver a Adam, pero no sé si me dejarán. Y la única persona que puede decirme si me dejan o no es Nana y no pienso llamarla.

La casa está horrorosamente tranquila. Papá y mamá han ido al mercado, la señorita Hagerty está echando una siesta en su cuarto, el señor Penny ha salido y no tengo ni idea de dónde está Ángela Valentine. En el momento en que me pregunto qué estarán haciendo los Strowsky, la puerta se abre silenciosamente y Catherine sale al porche.

—Hola —digo. Estoy chupando el zumo de polo derretido que me cae por la mano.

—Hola —contesta. Duda un momento; tengo la impresión de que va a volver a entrar. Pero no: se sienta, con mucho cuidado, en el borde de la silla.

He aquí una de esas veces en las que no tengo ni la más remota idea de qué decir, pero veo que lo mismo le pasa a Catherine. Parece que es incluso más tímida que yo.

—Casi no te he visto desde el miércoles —digo por fin.

—Como mamá ha salido, yo he estado cuidando de Sam.

—Pero puedes salir de tu habitación, ¿sabes? En el salón hay una televisión, y fuera hay columpios, en el patio trasero. Para Sam, quiero decir.

—¿En serio? —Catherine me obsequia con una sonrisa.

—Claro.

—Bueno… pues gracias.

—No hay de qué. Me estaba preguntando… quizá aún estés aquí cuando empiece el colegio… ¿En qué curso estás?

—En séptimo.

—¡Yo también! A lo mejor nos toca en la misma clase.

Estoy estudiando los rizos rojos de Catherine, anaranjados ahora, de un anaranjado brillante, cuando veo sobre su hombro a una desenvuelta figura que se acerca silbando por el camino de acceso.

—¡Adam! —exclamo.

—¡Muy buenas tardes tengas tú, Hattie Owen! —contesta.

Adam está de buen humor, vaya que sí. Y yo estoy estupefacta. La última vez que lo vi daba golpes y patadas y era arrastrado por la policía. Sonríe y saluda con la mano; veo que lleva un ramo de flores. Al final de los tallos hay raíces y tierra, por lo que deduzco que las ha arrancado directamente del jardín de Nana.

Adam sube a saltos los escalones del porche y se queda frente a mí. Viste traje y pajarita, y está bastante guapo, aunque debe estar también bastante cocido porque el traje de lana es de puro invierno.

Abre la boca pero, antes de que pueda decir nada, Catherine se pone en pie de sopetón y dice:

—Me tengo que ir —y desaparece por la puerta de entrada.

Adam la mira un momento, después se vuelve hacia mí y sonríe:

—Hoy es un día brillante, excelente, de marca mayor, único en su especie, Hattie, por eso he venido a visitar a Ángela Valentine. ¿Está en casa?

Vaya, pienso, las flores son para ella.

Le dedico una gran sonrisa tratando de ignorar la tierra que cae de las raíces sobre sus mocasines recién lustrados.

—¡Huy, Adam! —digo—. Pues no estoy segura. ¿Te importa esperar aquí mientras voy a llamar a su cuarto?

—Muchísimas gracias, señorita, pero yo te acompaño.

Me paro con la mano sobre la puerta. No sé si Ángela está o no, pero, si está, seguro que duerme. La he visto dormir hasta tardísimo los fines de semana. Estoy a punto de decírselo a Adam cuando él me retira dándome un empujoncito, abre la puerta y entra al recibidor.

—Vamos, Hattie, pero ándate con pies de plomo, no hagas ruido, no querrás despertar a la señora Trumbull, ya es bastante escandaloso el pequeño Ricky —sube las escaleras dando resoplidos y dejando un rastro de tierra tras él.

Corro detrás, nada silenciosa. Cuando llegamos a la puerta de Ángela, acerco el puño para llamar primero. Pero apenas he tocado la puerta cuando Adam cuela su brazo bajo el mío, gira el picaporte y abre.

—¡Adam! —grito. Al mismo tiempo oigo un pequeño chillido que proviene del interior y veo que Ángela rueda sobre sí misma y se cae de la cama.

Pienso que estaba durmiendo, como yo suponía, pero entonces me percato de que está vestida, o medio vestida al menos, y en ese momento veo a Henry tumbado en la cama, con pantalones pero sin camisa.

—¡Ay, Dios mío! —me digo.

Ángela no dice nada. Ha conseguido ponerse en pie y está tratando de abrocharse la blusa.

Miro a Adam. Él observa a Ángela boquiabierto, como un personaje de dibujos animados y sé, sin la menor duda, lo que está pensando. Somos tan parecidos, Adam y yo, nuestros cerebros son tan parecidos, que los pensamientos de Adam son los mismos que los míos. Adam piensa que ha visto al fin el pecho de Ángela sin nada por encima, y está fascinado con esos dedos que luchan con los botones de la blusa. Se siente un 10 por ciento satisfecho por haberla pillado haciendo algo que no debía en nuestra casa, un 20 por ciento horrorizado por su mal comportamiento, y un 70 por ciento excitado por lo que hemos interrumpido.

Se me ha quedado la boca seca y me late el corazón a cien por hora. Tampoco puedo dejar de mirar a Ángela, ni de contemplar la escena que hemos perturbado, eso que hacen los novios cuando están a solas.

Adam se queda mirando fijamente a Ángela tanto tiempo que empiezo a temer que se cuele en la habitación. Pero no lo hace. Lo que hace es dejar caer las flores al suelo y proferir un lamento de animal herido. Después corre escaleras abajo.

Corro tras él.

—¡Eh, eh! —llamo.

Adam no se detiene. Ya casi ha llegado al final de las escaleras.

Dudo un momento y vuelvo a la habitación de Ángela. Ella está a punto de cerrar la puerta, así que pongo un pie junto al marco para impedirlo.

—¿Pero qué...? —empieza a decir.

Le miro la blusa torcida, el pelo revuelto, echo un vistazo al cuarto, veo a Henry sentado medio desnudo en la cama, y no se me ocurre nada que decir. Quito el pie y empujo la puerta con tanta fuerza que las paredes tiemblan.

Entonces voy tras Adam.

Miro la calle arriba y abajo pero no está. Como supongo que se dirige a casa de Nana y del abuelo, corro hacia allí. Al doblar la esquina de su calle lo veo entrar por la puerta como un obús.

Estoy sin aliento y tan sudorosa que me da la impresión de que voy a resbalarme, pero no dejo de correr. Llamo al timbre de Nana y del abuelo, y giro el picaporte antes de obtener respuesta. Nana está en el vestíbulo con las manos sobre la barandilla de la escalera, mirando hacia arriba.

Se vuelve cuando cierro la puerta.

—Hattie, ¿qué ha pasado? —pregunta. Me parece que tiene miedo.

Trato de recuperar el aliento.

—Adam ha ido a ver a Ángela Valentine, por eso hemos subido las escaleras y él ha abierto la puerta de su habitación sin llamar, y Ángela estaba dentro con su novio, y Adam se ha llevado un gran disgusto porque iba a regalarle flores...

—¿Y se puede saber por qué lo llevas a su habitación, Hattie?

—Es que...

—¡En qué estabas pensando!

Miro a Nana de hito en hito.

—¡Sigues con lo mismo! —salto al fin—. Todo el mundo con la misma canción, pero ¿por qué no piensas tú para variar? ¡Es tu hijo!

—¡¡Harriet!!

De lo que no hablo es de la horrible idea que se me ha metido entre ceja y ceja. Que es verdad: que yo debería ha-

berlo pensado, antes y mejor. Que Adam y yo nos parecemos tanto que la mitad de las veces sé hasta lo que piensa.
Soy como él y no quiero serlo.

Nana ha cerrado la boca en una línea férrea. Se atusa
un mechón de pelo gris y noto que le tiembla la mano.

—Hattie, tú no le entiendes —dice quedamente.

Sí le entiendo.

Abro la puerta principal.

—¿Adónde vas? —pregunta.

—A la feria —contesto—. Tú no eres mi madre ni mi
padre. Y no tengo por qué escucharte.

Cierro pegando un portazo y corro por el césped.

Es hora de hablar con Leila.

Capítulo XIX

Lo primero que noto al llegar a la feria es que el aparcamiento está casi vacío. Bueno, pienso, la mayoría de la gente de por aquí ya ha venido; pero, aún así, hoy es sábado... Entonces veo que han puesto una valla de madera en la entrada. Me quedo a su lado y miro a lo lejos intentando averiguar algo.

Qué día más raro. Mi casa estaba demasiado en calma esta mañana y ahora le toca el turno a la feria.

Doy sombra a mis ojos con una mano sudorosa. No distingo gran cosa pero, al cabo de un rato, oigo unos golpes, como el sonido que hacen los obreros. En ese momento diviso dos camiones en el recinto. Sólo una vez había visto un vehículo en la feria: cuando entró la ambulancia para Adam.

La valla es una barrera para que la gente no pase, pero yo lo salto de todos modos. No creo que a nadie le importe que entre a buscar a Leila. Al poco de andar me doy cuenta de que la tranquilidad de la feria se debe a que está cerrada. Las atracciones están paradas; las casetas vacías, el último de los premios que colgaba de las paredes retirado. Y las únicas personas que deambulan por el recinto son los parientes de Leila y los demás feriantes. Están tan ocupados desmontando y embalando todo que no se enteran de que estoy allí.

Con una sensación de opresión en el pecho me dirijo a la caravana de los Cahn. Camino y camino pero no la encuentro por ninguna parte, y con toda seguridad ahora mismo me encuentro sobre el lugar donde debería estar. Quizá hayan trasladado las caravanas a otro sitio, pienso. Me estoy preguntando dónde, cuando oigo que alguien me llama.

—¡Hattie!

Es el tío de Leila, Jace, que se acerca con un martillo en la mano.

—¡Anda! —exclamo—. Hola. Estoy buscando a Leila. Espero no haber hecho mal al entrar.

—No pasa nada —dice Jace—, pero Leila ya no está aquí.

Mi sensación de opresión en el pecho aumenta un poco.

—¿Qué quiere usted decir?

—Que ya se han ido. A Maryland.

—¿Que ya se han ido?

—Vamos a instalar la feria en las afueras de Bethesda unas semanas. Estamos cerrando y nos vamos mañana, pero Leila, Lamar y sus parientes se fueron ayer, porque van a pasar uno o dos días con la tía de Leila.

No se me ocurre una sola palabra que decir.

—¿Hattie? —pregunta Jace.

Muevo la cabeza. No pienso llorar delante de él. Echo a correr.

—¡Hattie! —grita.

Corro y corro y corro. Corro por la feria, por el aparcamiento y por el camino que conduce al parque Marquand donde, si tengo suerte, no habrá nadie sentado en el banco del estanque de los patos y podré estar a solas un momento.

El parque no está tan desierto como la feria, aunque no hay demasiada gente. Mucho calor, pienso. Me desplomo en el solitario banco y contemplo cómo se deslizan los patos por el agua turbia.

Las palabras aparecen en mi cabeza: maldita Nana.

Nunca había pensado semejantes palabras. Pero ahí están.

Leila se ha ido y ni siquiera he podido decirle adiós, ni siquiera he podido explicarle por qué no he venido en toda la semana, y Nana tiene la culpa. ¿Pensará Leila que estoy enfadada con ella? ¿Pensará que la considero responsable de lo que pasó?

Se me llenan los ojos de lágrimas pero no pienso dejarlas caer hasta estar segura de que no hay nadie por los alrededores, y hasta que los patos me den la espalda.

Sentada allí lloro y lloro tan quedamente como me es posible, por último me enjugo los ojos y la nariz con el dorso de la mano igual que cuando tenía tres años.

Lo único que hace que me sienta un poco mejor es advertir que si el tío de Leila y los otros aún están en Millerton, lo más probable es no se marchen antes de mañana. Eso significa que le puedo escribir una carta a Leila, contárselo todo, decirle adiós, decirle que la echo de menos, decirle que es una de las pocas amigas que he tenido. Y puedo darle esa carta a Jace por la mañana para que él se la entregue a Leila en Maryland.

Me quedo sentada un buen rato, escribiendo la carta en mi cabeza: *Querida Leila: Mi abuela no me permitió verte la semana pasada porque eres una chica de circo; y no he podido llamarte porque no tienes teléfono. Y como nunca te he invitado a mi casa no sabes dónde vivo.*

De todas formas, ¿qué clase de amigas éramos Leila y yo? ¿Qué clase de amiga era yo?

Suspiro, miro por allí para ver si hay algo que echarles a los patos. Veo un trozo de pan que han pasado por alto. Lo tiro al estanque pero no me quedo a mirar cómo lo descubren. Vuelvo a casa por el camino más largo que se me ocurre, porque estoy absolutamente segura de que Nana ha llamado a mis padres para decirles lo que he hecho, para decirles: "¿En qué estaba pensando Hattie?".

Mi largo, largo camino me conduce a una avenida perpendicular a la calle de Nana y del abuelo. Cuando llego a su esquina me digo que debo mirar de frente, que no debo echar ni un solo vistazo a su casa, pero un coche patrulla dobla la esquina y tengo que mirar adónde va. Me detengo en el borde de la acera y miro. Entra en el camino de acceso de la casa de Nana y del abuelo. Antes incluso de que el motor se apague, un policía salta del asiento del acompañante, cierra la puerta de golpe y se precipita hacia la casa. El abuelo lo espera en la entrada.

No sé si seré bien recibida en este momento en casa de los abuelos pero tengo que saber qué pasa. Llego a la puerta de entrada; al mismo tiempo, el agente de policía que conducía el coche sube los escalones del porche de una zancada.

—¿El abuelo? —digo.

El abuelo habla en el umbral con los agentes. Nana vacila detrás de él.

—¡Hattie! —exclama Nana—. ¡Gracias a Dios!

—¿Qué pasa? ¿Qué pasa? —digo.

—¿Has visto a Adam? —pregunta el abuelo.

—¿Adam? Creía que estaba aquí.

—Sí —dice Nana—, pero se fue al poco de venir, y estaba tan disgustado… He llamado a tus padres. No lo han visto en todo el día. He llamado a todas partes. Tenía la esperanza de que estuviera contigo.

—No. Yo tampoco lo he visto. No después de que viniera aquí, quiero decir.

—¿Dónde has estado toda la tarde? —pregunta el abuelo. Me aprieta el hombro con tanta fuerza que me hace daño; intento alejarme de él.

—En… En primer lugar he ido a la feria, pero está cerrada —lanzo a Nana una mirada asesina—. Y después he ido al parque Marquand, y he estado paseando por el pueblo.

—¿Y no has visto a Adam por ningún sitio? —pregunta uno de los agentes.

—No.

Los policías, Nana y el abuelo se miran unos a otros.

—Creo que es mejor que entremos, señor Mercer —dice uno de los policías. Saca un bloc de notas de su bolsillo.

—Hattie, vete a casa —dice Nana—. Vete derecha a casa.

—Vale —digo.

Adam es un adulto y, técnicamente, no lleva tanto tiempo fuera como para ser considerado un desaparecido. Pero como Adam es Adam, y además es hijo de Hayden y Harriet Mercer, su búsqueda comienza de inmediato. Los policías van en su coche patrulla; papá y mamá en su Ford.

A mí me dicen que me quede en casa.

—¿Por qué no me dejan ir con ellos? —le pregunto a la señorita Hagerty mientras tomamos una taza de té en su habitación. La señorita Hagerty ha hecho el té ella misma y afirma una y otra vez lo que relaja el té en situaciones de estrés.

La tarde se está acabando. Cuqui ha servido la cena al señor Penny, a la señorita Hagerty, a los Strowsky y a mí. A Ángela Valentine no se la ve por ninguna parte.

—Seguro que tus padres quieren que te quedes aquí por si viene Adam —contesta la señorita Hagerty.

No estoy yo tan segura. Más bien creo que Nana ha llegado a la conclusión de que no se puede confiar en mí. Creo que ha preferido quitarme de en medio.

—Señorita Hagerty, ¿qué le pasa a Adam?

La señorita Hagerty deja su taza de té y me mira durante un rato muy largo.

—Pues no sé, no estoy segura, tesoro. No recuerdo que nadie me haya dicho nada sobre él. Es sólo un poco... extraño —la señorita Hagerty se da golpecitos en la sien con un dedo.

—¿Quiere decir que es un enfermo mental?

Suspiro. Extraño, enfermo mental, esas palabras no me sirven de ayuda. Prefiero no preguntar a la señorita Hagerty si la enfermedad mental puede arruinar una familia.

Cuando acabamos el té es la hora en que ella comienza su tratamiento de belleza. Bajo las tazas a la cocina. Después me siento en el porche y miro la luna. Estoy segura de que Ángela Valentine no está en casa. Espero que cuando vuelva, papá y mamá le echen una buena bronca.

Aún estoy contemplando la luna cuando se abre la puerta y alguien se sienta a mi lado en el balancín.

Catherine.

—Siento lo de tu tío.

Le echo un vistazo.

—Gracias —no sé lo que sabe sobre Adam—. Tiene algunos problemas.

—Espero que lo encuentren pronto.

—Es lo más probable.

Catherine mira la luna conmigo.

—Siento mucho lo de tu padre —digo por fin.

—Le dio un infarto. Fue a trabajar como todos los días y su jefe se lo encontró desplomado sobre su escritorio. Estaba muerto.

Asiento. Catherine y yo hemos descubierto la rapidez con la que nuestro mundo puede oscilar de lo tranquilo y familiar a lo espantoso e inesperado.

A las nueve y media la señora Strowsky le dice a Catherine que entre. Yo me quedo sentada en el balancín. Miro mi reloj cada cinco minutos. Son casi las diez y cuarto, y papá y mamá no han vuelto aún. Por último subo las escaleras para ir a la cama. Me acabo de dormir cuando me despierta el ruido de la puerta de mi habitación; la luz del pasillo me da en la cara.

—¿Hattie? —dice mamá.

Me siento en la cama, espabilada por completo.

—¿Lo han encontrado?

Papá aparece detrás de ella, en el umbral. Entran en mi habitación y antes de que se sienten en la cama sé que me van a decir algo, y que ese algo es muy malo.

Me tapo los oídos con las manos.

—¡No me lo digas! ¡No quiero oírlo!

Mamá me retira las manos con mucha delicadeza. Se sienta junto a mí y me envuelve en sus brazos. Papá me acaricia el pelo.

—Lo ha encontrado la policía —dice mamá.

—Está muerto, ¿verdad?

Mamá no contesta; sus lágrimas caen sobre mis mejillas.

—Sí, Hattie, lo está —dice papá.

—¿Cómo ha sido?

—Se ha ahorcado. En el cobertizo de los abuelos.

Estoy triste, pero no demasiado sorprendida.

Capítulo XX

Mi tío Hayden está sentado en el salón con una pipa entre los dientes. Huele como la trastienda de Cline, donde venden tabaco y cigarrillos.

La noche anterior, poco después de cenar, llamaron a la puerta y mamá fue a abrir.

—¡Dios mío! —la oí decir—. Hayden.

Me asomé por la puerta del comedor y vi un hombre alto de pie en las sombras tras la puerta mosquitera, y vi a mi madre cruzar el recibidor. Al principio andaba despacio, pero antes de llegar a la puerta iba corriendo. Envolvió a su hermano en un cálido abrazo y permanecieron así largo rato.

No esperábamos que el tío Hayden llegara tan pronto. Mamá lo llamó la noche anterior, poco después de las once, y él había dicho que tomaría el primer vuelo al este. A pesar de eso, mamá no lo esperaba hasta el lunes.

Pero ha venido hoy, domingo, al final del día más largo de mi vida.

Ha pasado el tiempo igual que cuando a los seis años padecí el sarampión y no tuve más remedio que quedarme en la cama eternamente. Cada día parecían tres días, seis días, semanas. La noche que encuentran el cuerpo de Adam nos quedamos despiertos hasta cerca de las dos. La mitad de la casa nos hace compañía. La señorita Hagerty nos oye hablar y sale de su habitación, con lo que ella denomina *Aceite de Demora* extendido sobre la cara, y el pelo sujeto con un pañuelo raído. Bajamos juntos las escaleras, y ella se sienta con mamá en el sofá del salón. Más tarde la señora Strowsky se levanta y se reúne con nosotros. Nadie habla mucho. Mamá está casi en silencio, ni siquiera llora, pero parece desconcertada y herida.

Y, en ese momento, Ángela Valentine llega a casa. Pienso que pretende colarse sin que nadie la oiga, pero yo la veo subir las escaleras de puntillas, con los zapatos en la mano. Se da de bruces con el señor Penny, quien ha oído las noticias y se dispone a bajar al salón. Él le comunica a Ángela lo ocurrido.

No puedo oír la conversación. Todo lo que sé es que Ángela sigue su camino y que no la volvemos a ver hasta el día siguiente.

—Espero que le digas claramente lo que ha hecho —pido a papá—. Espero que le digas que ha matado a Adam.

Papá me pone la mano sobre el hombro y me dice con suavidad:

—Tú sabes que eso no es cierto, Hattie.

Puede que lo sepa, pero aún así.

Nadie duerme esa noche. A la mañana siguiente salgo arrastrándome de la cama a las cinco y media, porque no tiene sentido estar tumbada mirando al techo. Es domingo y la gente empieza a dejarse caer por nuestra casa tan pronto como pasa la hora del desayuno. Aunque es su día libre, Cuqui ha venido, y eso está bien, porque todo el mundo trae comida. La cocina se llena enseguida de cazuelas, tortas, pasteles e incluso recipientes con café.

Cuqui se hace cargo de todo. Organiza la comida, envolviendo parte de ella y metiéndola en la nevera o en el congelador. El resto lo coloca en bandejas que da a la señora Strowsky y a Catherine para que ellas las ofrezcan a la gente que habla en el salón con papá y mamá, después lava las bandejas vacías según se las van devolviendo.

Mamá está arriba, en su cuarto. Se queda allí hasta casi el mediodía. Cuando meto la cabeza para ver si está bien, la encuentro frente al espejo, arreglándose como se arregla para ir a una de nuestras comidas de chicas. Incluso huelo el perfume.

—¿Qué haces? —le pregunto.

—Tengo que ir a ver a Nana y al abuelo —dice—. También ellos tienen la casa llena.

Mamá mira fijamente al espejo. Voy a decirle que está muy bien y me doy cuenta de que no se mira a sí misma sino a las fotos que ha encajado por todo el marco. Fotos mías de cuando era bebé, mis fotos escolares, fotos de papá y ella, una foto de papá cuando era niño, la foto de la graduación del tío Hayden, la foto amarillenta de Nana y del abuelo que salió en el periódico cuando anunciaron su boda…

—Mamá —digo—, no hay ninguna foto de Adam.

—¿Eh? —contesta mamá—. Pues no.

—¿Por qué?

Una expresión de dolor cruza su rostro pero se limita a encogerse de hombros.

Suelto una pregunta que estoy deseando hacer:

—¿Nunca fuiste a ver a Adam mientras estaba en su colegio?

No recordaba que mamá hubiera hecho ningún viaje, pero quizá fue a verlo cuando yo era muy pequeña.

Mamá suspira.

—No. Nana y el abuelo iban a verle de vez en cuando. Cuando fueron a Chicago, a Milwaukee y pocas veces más. Pero Nana me pidió que yo no fuera. Dijo que eso podía perturbarle.

Frunzo el ceño.

—¿Tú lo querías? —pregunto.

Mamá se vuelve como un rayo, con la mano levantada.

—¡Hattie —dice—, no vuelvas a preguntarme eso nunca más!

Me echo atrás; mamá me sujeta del brazo.

—¡Perdona, perdóname! —ruega—. No me hagas caso, Hattie —y añade—: Sí, lo quería. Pero era muy difícil quererle… ¿Quieres acompañarme a casa de Nana y del abuelo?

—Pues creo que no —contesto y salgo de la habitación.

Al fin llega la tarde, que transcurre con la misma interminable lentitud de la mañana. Adam se cuela cada vez más en mis pensamientos.

Recibo estofado de atún de un vecino y digo:

—Gracias —y oigo decir a Adam: "¡Oh, jou, jou, jou! Estofado de atún, Hattie, un plato divino, digno de reyes, digno de reyes, Hattie Owen".

Sam Strowsky le grita algo a Catherine desde el patio y por alguna razón vuelvo al comedor de Nana, y Adam da zapatazos al timbre secreto de la abuela.

Sostengo la puerta a otro vecino, diviso el cielo nublado y recuerdo a Adam susurrando: "Porque madre dice que es un truco de circo".

Cierro la puerta, las lágrimas pugnan por salir.

"Ricky no le deja a Lucy que se compre un sombrero nuevo, Hattie Owen. Lucy tiene que ahorrar dinero y hacerse su propia ropa, Hattie. Oh, el cumpleaños de Ethel no fue bien, nada bien. Lucy escribió una novela, Hattie Owen, Lucy escribió una obra de teatro, Lucy escribió una opereta y Ricky cantó: Soy el buen príncipe Lancelotón, cantando y bailando disfruto un montón."

Oigo su voz en mi cabeza con tanta claridad que quiero taparme los oídos, como la noche pasada, quiero cubrirlos para no escuchar la voz de Adam. Mi nuevo tío, mi familia.

—¡Tú, niño grande —digo en voz alta—, no deberías habernos dejado así! ¿te enteras?

No debería habernos dejado de ninguna manera. No había razón para ello.

Bueno, quizá había algunas razones, pero no eran importantes.

Cinco en punto de la tarde. Mamá se ha ido y ha vuelto, Cuqui todavía está aquí y yo necesito descansar. Me tumbo en la cama y es entonces cuando recuerdo la carta de Leila. No la había escrito y había olvidado por completo lo de ir a la feria. Seguro que ya se habrían marchado, aunque en su partida no hubiera fanfarria ni desfile como hubo a su llegada; sólo levantar el campamento y desaparecer.

Y eso era todo. No tenía ni idea de cómo ponerme en contacto con Leila.

Tres horas más tarde, después de cenar, Hayden hace su aparición sorpresa. Abraza a mamá, abraza a papá, me abraza a mí, me dice que apenas me reconoce, y pregunta a mamá:

—¿Cómo está nuestra madre?

Mamá se encoge de hombros.

—Como era de esperar. Serena, sin verter una lágrima.

—¿Conteniéndose? —pregunta Hayden—. ¿Tragándoselo todo, como de costumbre?

Quiero reírme y creo que mamá también, pero de repente se lleva las manos a la boca y dice:

—Oh, no, Hayden, me acabo de dar cuenta. No puedes quedarte aquí. Tienes que ir a casa de papá y mamá

—le cuenta lo ocurrido con los Strowsky y nuestra abarrotada casa.

El tío Hayden suelta un gruñido. Es entonces cuando se sienta en un sillón del salón y se mete la pipa entre los dientes. Un momento después se saca la pipa de la boca, mira al vacío y se le llenan los ojos de lágrimas. No lo conozco bien. Sólo sé que no se ha casado y que trabaja en una compañía cinematográfica de las grandes. Y que no ha vuelto a Millerton desde el día de mi nacimiento.

Mamá se inclina sobre el sillón del tío Hayden y le frota los hombros. Él la mira.

—Cuéntame otra vez lo que pasó.

—El colegio cerró… —empieza mamá.

Ni el propio hermano de Adam sabía que estaba en casa.

¿Es que en mi familia no hablan nunca unos con otros?

Pero el tío Hayden había vuelto. Había venido. Estaba aquí por mamá, y por Nana y por el abuelo también, supongo. Y por Adam, claro.

El funeral de Adam se celebraría el martes. Su esquela apareció el lunes en el periódico de Millerton. No decía quién era Adam, sólo que era el hijo pequeño de Hayden y Harriet Mercer, de veintiún años de edad. Ni siquiera decía el nombre del colegio donde había vivido tantos años. Quien leyera el periódico no tendría información alguna sobre los *Shirley Temples*, ni sobre Lucy comiendo caracoles, ni sobre flores arrancadas con raíces y ofrecidas con esperanza a una muchacha guapa. Y nadie conocería al

Adam de la noria, ni sabrían que lo llamaban marciano, ni que tenía cambios bruscos de humor.

Yo quiero que la gente lo conozca.

Por eso llamo por teléfono a la abuela y se lo comunico:

—Nana, mañana quiero decir algo en el funeral.

—¿Qué? ¿Decir algo a quién?

—Que quiero hablar. Debo hablar.

—Pero, Hattie…

—Adam era mi tío y quiero decir algo sobre él.

—Está bien —acepta Nana.

Por la noche mamá entra en mi habitación y empieza a pasar las perchas de mi armario de un lado a otro de la barra.

—¿Qué buscas? —le pregunto.

—Algo negro. ¿Dónde está ese vestido que te pusiste en Navidad?

—¡Pero me da mucho calor! Es de terciopelo. Y me sienta muy mal.

Ya tenía decidido lo que iba a llevar al funeral; iba a llevar el vestido amarillo que me puse en mi cumpleaños. Adam me dijo que le gustaba. Me dijo que le gustaba y cinco minutos después se comió la rosa de la tarta y fue enviado a la calle.

Mamá no discute conmigo. Se queda de pie junto al armario mirando al vacío y murmurando que no podía creer que estuviéramos pensando qué ponernos para ir al funeral de Adam y que se supone que la gente no se muere antes que sus padres. Pongo mi brazo alrededor de sus hombros y ella me dedica una diminuta sonrisa, me acaricia un momento la barbilla y sale corriendo de la habitación.

Dejo el vestido amarillo sobre la silla. Estoy buscando mis zapatos blancos cuando veo pasar a Ángela Valentine por el pasillo con muchas prisas.

No he hablado con ella desde el sábado. No ha comido ni una sola vez con nosotros. Sale y entra de la casa como una polilla, en silencio.

Sólo el domingo hizo un alto, para decirle a mamá y a papá cuánto lamentaba su pérdida y algo más que no conseguí oír.

No creo que ella vaya al funeral.

Capítulo XXI

El martes dos de agosto de 1960, el día del entierro de Adam Mercer, hace un sol espléndido.

—Un día de funeral —dice Cuqui—. ¿Te has dado cuenta? Los días en los que hay un funeral o diluvia o abrasa el sol. No hay término medio.

No sé nada de eso, pero la mañana es clara, cálida y dulce, con un susurro de viento que agita las hojas del olmo que está junto a mi ventana. Es un día que habría hecho exclamar a Adam:

—¡Felicidad! ¡Felicidad!

A las diez y media me voy a mi habitación y cierro silenciosamente la puerta. Miro largo rato el vestido amarillo y los zapatos blancos preparados para la ocasión. Después me visto y me calzo. A Nana le gustaría que llevara guantes, pero no me los pienso poner.

Papá, mamá y yo salimos para la iglesia episcopal a las once. La señorita Hagerty, el señor Penny, Cuqui e incluso la señora Strowsky van también, pero ellos salen un poquito más tarde para que mis padres y yo podamos ir solos.

Al llegar a la iglesia observo que el aparcamiento está casi lleno.

—¡Vaya! —exclamo bajito.

Cuando Hayden y Harriet Mercer celebran un funeral todo el mundo acude.

Eso me creo hasta que veo a Nancy y a Janet entre la multitud. Ellas no están aquí por mis abuelos, han venido por pura curiosidad. Quieren ver a la familia del marciano. Quieren ver qué clase de funeral tiene el marciano. Como si fuéramos un fenómeno de feria de Fred Carmel. Me pregunto si algún amigo de Nana y del abuelo piensa lo mismo.

Papá me ve observando a Nancy y Janet, ve que ellas me miran a mí, oye sus risitas contenidas. Me agarra por el codo:

—¡Vamos, Hattie!

Nos abrimos camino entre la multitud y entramos en la silenciosa iglesia. Papá enlaza uno de sus brazos conmigo y el otro con mamá, y nos dirigimos a la parte delantera, donde nos sentamos en el primer banco al lado de Nana, del abuelo y del tío Hayden. Los seis completamos un lado de la fila.

En la iglesia hace calor, hay peticiones de silencio, hay crujidos, susurros y espera, pero al cabo de un rato yo sólo escucho la voz de Adam: "Oh, jou, jou, jou, Hattie Owen".

Me sobresalto un poco cuando empieza a sonar el órgano, me vuelvo a sobresaltar cuando, después del resuello de la última nota, el sacerdote empieza a hablar. Habla y habla de Adam y, a decir verdad, con sus palabras podría estar refiriéndose a casi cualquiera de los presentes. Bueno, claro, pienso. El sacerdote lleva únicamente siete años en la iglesia. Lo más probable es que no conociera a Adam.

Cuando deja de hablar sugiere que inclinemos las cabezas para orar, y yo le susurro a mamá:

—Déjame pasar al fondo.

Nana me dedica un fruncimiento de ceño. La ignoro.

No sé si Nana le ha dicho al sacerdote que quiero decir unas palabras. Estoy preparada para levantarme y ponerme a hablar, así sin más, si es necesario. Pero cuando finaliza la plegaria, el sacerdote me mira y asiente. Deja el micrófono solo al frente de la iglesia y toma asiento a un lado.

Me tiemblan las piernas y respiro a boqueadas mientras salgo del banco y subo las escaleras del púlpito. No he preparado lo que voy a decir y ahora advierto que quizá he cometido un error.

El micrófono está demasiado alto para mí, así que lo bajo, chirría y oigo risitas. Me digo a mí misma que debo buscar a la señorita Hagerty entre el gentío y hablarle a ella, pero las risitas me ayudan a localizar a Nancy y a Janet, y decido dirigirme a ellas.

—Me llamo Harriet Owen —empiezo—. Soy la sobrina de Adam Mercer.

Echo un vistazo a Nana, ella me mira como si estuviera conteniendo el aliento. Aparto la mirada, me dedico otra vez a Nancy y Janet.

—Soy la sobrina de Adam Mercer —repito—, y quiero que sepan que Adam no era un marciano.

Oigo un sonido, como si todas las personas de la iglesia tomaran aire a la vez.

—Pero lo han llamado marciano —continúo—. Lo han insultado muchas veces, y eso era una de las cosas que hacían difícil ser Adam.

Hablo de otras cosas que le disgustaban: confusión, ruido excesivo y miedos que yo no entendía. Hablo de Lucy Ricardo y del baile y de recibir una invitación para mi propia fiesta de cumpleaños. Se me ocurre mencionar el truco de circo de Adam pero cambio de opinión.

—Adam —digo— tenía buenos y malos momentos —aquí hago una pausa y miro a Nana, veo que llora silenciosamente, como lloraba yo en el estanque de los patos. Voy a decir algo más sobre los momentos malos: que los de Adam eran diferentes de los de la mayoría de la gente, y que nunca llegué a entenderlos. Pero ahora que miro las lágrimas de Nana, que miro cómo busca la mano del abuelo con las suyas, que las retira y las vuelve a dejar sobre su regazo, ahora que veo a Nana, cambio de idea.

—Creo que debemos recordar que Adam era una de esas personas que levanta los rincones de nuestro Universo —digo. Me aclaro la garganta—. Gracias.

Al volver al banco me siento mayor. Pienso en Janet y Nancy y descubro que ahora puedo hacer caso omiso de ellas. Y entiendo que Adam y yo no nos parecíamos tanto como yo pensaba. Recuerdo su expresión torturada la noche de la noria y su expresión de felicidad, felicidad, y me doy cuenta de que Adam no tomó a la ligera la decisión de quitarse la vida. Para hacerlo era necesario tener cierta clase de valor. Sólo que no era la clase de valor que yo tendría.

Me senté entre papá y mamá, y ellos me agarraron de la mano y me sonrieron. No había lágrimas. Estreché sus manos.

Hay una especie de fiesta en casa de Nana y del abuelo después del funeral. Asisten unas cien personas. Han venido directamente de la iglesia con su ropa de luto. Yo resplandezco con mi vestido amarillo.

Camino un poco por la casa, comiendo diminutos entremeses variados y bebiendo limonada. Si fuera mi casa, iría a la cocina a ayudar a Cuqui, pero con Ermaline no tengo suficiente confianza. Al final necesito ir al baño, pero el tocador de señoras de la primera planta está ocupado. Mientras subo las escaleras del segundo piso se me ocurre que no he visto nunca la habitación de Adam.

Tengo que verla.

Camino de puntillas por el pasillo. Paso un cuarto de invitados, un baño, otro cuarto de invitados y llego a una habitación con la puerta entreabierta. La abro unos centímetros más. Lo primero que noto es que las paredes e incluso el techo están cubiertos con páginas arrancadas de revistas. La mayoría son fotografías de la luna, del sol y de las estrellas, de *National Geographic* seguramente. Algunas son fotos de Lucille Ball y Desi Arnaz, los protagonistas de *I Love Lucy*. Entro y se me corta la respiración.

Nana está sentada en la cama, las piernas primorosamente cruzadas, manoseando el contenido de una caja de madera que ha puesto sobre sus rodillas. Me mira tan sorprendida como yo.

—¡Hattie! —exclama.

—¡Nana! Lo… lo siento —empiezo a salir de la habitación—. Estaba buscando el baño.

—No importa —Nana da palmaditas sobre la cama—. Ven aquí, Hattie.

Soy una intrusa, lo sé, pero Nana me ha hecho una invitación. Me siento en la cama de Adam junto a ella, sin quitar la mirada de la caja.

—¿Qué es eso? —pregunto.

—Es la caja de los tesoros de Adam.

Dentro hay artículos pequeños: una piedra, una pluma azul, una moneda de cinco centavos con una cabeza de indio, y fotos. Muchas fotos.

—Tu madre le mandaba algo todas las semanas —dice—. Todas y cada una de las semanas que pasó en ese colegio. Pequeños regalos, fotos que podían gustarle para su habitación, fotos tuyas. Y Adam guardaba todo lo que le mandaba.

—¿Mamá le escribía cartas?

Nana asiente.

—Adam las guardaba también.

Pienso en el espejo de mamá, en la parte interior del marco llena de fotos, y la oigo decir: "¡No vuelvas a preguntarme eso nunca más!".

Busco la mano de Nana. Ella aparta la caja y nos quedamos allí sentadas, en la habitación de Adam, durante mucho tiempo.

El día anterior a la partida del tío Hayden mi familia decide visitar la tumba de Adam. Nos lleva Charles, el chófer. Avanzamos silenciosamente por el camino del cementerio hasta que papá le dice que pare. Como no hubo ceremonia de entierro, todos, excepto yo, habían visto ya la tumba. Parecía más reciente que las otras, más limpia y cuidada, la hierba pulcramente recortada, las flores sólo un poquito mustias.

Le digo a Adam que siento haberle llamado niño grande.

—No estoy enfadada contigo, no creas —añado—. No me gusta lo que hiciste pero creo que entiendo el porqué.

Como no puedo acercarme más a la lápida, me siento en la hierba a poca distancia. Papá y mamá tienen las manos unidas. Observo que el abuelo busca la de Nana. Y veo las calladas lágrimas de la abuela.

Capítulo XXII

Meto la película en su caja, me recuesto en el sillón, siento octubre a mi alrededor. Hace ya dos meses el tiempo era como un viejo perro cansado que se arrastraba hasta que no podía más, se dejaba caer sobre las ancas a un lado del camino y allí se quedaba.

¿Por qué ha llegado el otoño si nosotros no nos movemos? ¿Cuándo se levantará el tiempo otra vez, cuándo avanzará?

Recuerdo que en esos borrosos días que siguieron a la muerte de Adam, Ángela se marcha. Se marcha con rapidez. Un día empaca sus maletas y dos cajas de cartón del supermercado, garabatea una dirección que da a mis padres, y espera en el porche a que llegue Henry con su descapotable. Se me ocurre pensar entonces que ese descapotable es una de las razones de la muerte de Adam. El día en que Adam vino a darle las flores a Ángela el descapotable no estaba. Si hubiera estado, yo no habría dejado que Adam subiera las escaleras. Pero como se suponía que Henry no debía estar arriba con Ángela, en primer lugar, porque eso iba contra las normas, debían haber aparcado el coche donde no se viera.

Me cuesta mucho librarme de la sensación de que Ángela y su aventura a hurtadillas habían causado la muerte de Adam.

No he mirado el trozo de papel que Ángela les dio a mis padres, pero supongo que vive cerca, quizá con Henry, porque la he visto dos veces yendo a su trabajo. Aún no he hablado con ella, pero algún día seré capaz de hacerlo.

La semana siguiente a la marcha del tío Hayden a California comienza una larga mala racha para Nana y el abuelo. Pensaba que se olvidarían de Adam y seguirían con sus vidas como si nada, que lo borrarían tan fácilmente como lo habían borrado al mandarlo al colegio. Por eso supongo que el abuelo va a ir a trabajar el lunes.

Pero no lo hace. Nana llama a mamá a última hora de la mañana para decirle que el abuelo, vestido con su traje de calle, está sentado en la habitación de Adam y no hace más que mirar las paredes y el techo. Papá y mamá van corriendo a su casa pero no pueden hacer nada. Por fin, el abuelo cierra la puerta de la habitación de Adam y se prepara un martini que bebe solo, en el jardín de atrás.

El abuelo hace lo mismo todos los días de esa semana hasta que Nana pierde la paciencia y le dice que ya es hora de limpiar la habitación de Adam y de quitar, en particular, las fotos de las paredes y el techo. Es probable que después tengan que pintar la habitación.

El abuelo no le contesta pero el lunes siguiente vuelve a la oficina y deja de beber martinis en el jardín, antes de las cinco de la tarde al menos.

El día en que el abuelo vuelve al trabajo, Nana se anima, llama para darnos la buena noticia y me pide que vaya a echarle una mano con la habitación de Adam. Me pregunto por qué no le pide ayuda a una de sus doncellas, pero supongo que no quiere que alguien que no es de la familia vea las cosas de Adam. Una hora más tarde vuelvo a la habitación.

—Supongo que es mejor que empecemos por las paredes —digo—. Para quitar las fotos del techo necesitaríamos una escalera.

Toco una foto de Lucy Ricardo. Mira a Ricky, que entra en el apartamento. Por la expresión de su cara se deduce que acaba de hacer alguna trastada y no quiere que Ricky se entere. La foto me hace sonreír y entiendo por qué le gustaba Lucy a Adam. Era absolutamente imperfecta.

Tiro de una esquina de la foto y ésta se desgarra y Nana profiere un grito:

—¡No! No toques eso.

—Pero yo creía…

—No importa. Vete a casa, Hattie.

Eso hago. Pasa un mes antes de que Nana decida que se puede tocar la habitación de Adam y, después de todo, le prestamos a Toby diAngeli y ella la limpia. Más tarde

Nana llama a una casa de decoración para que cambien la habitación. A principios de octubre no queda ni rastro de Adam en la casa, pero si se menciona su nombre, Nana se echa a llorar y el abuelo corre en busca de la botella de vermut.

En agosto, tres días después de empezar el abuelo a ir al trabajo, mis padres anuncian que vamos a hacer un viaje en familia. Me quedo estupefacta.

—¿Pero cómo vamos a hacer eso? —pregunto. Nunca hemos dejado solos a nuestros huéspedes.

—Vamos a dejar a Cuqui al cargo. Todo irá bien —dice mamá con seguridad.

Así que nos vamos tres días al pueblo costero de Avalon, en Nueva Jersey. Alquilamos una casita de una fila de cuatro muy cerca de la playa y pasamos el día comiendo almejas fritas y tostándonos al sol. Los tres sentimos la necesidad de estar algún tiempo a solas. Papá se va por la mañana a desayunar por su cuenta en la barra de Hoy's. Mamá encuentra un cine y va a ver la misma película los tres días seguidos. A mí me dan dinero para alquilar una bicicleta y con ella voy hasta el pueblo, sólo eso, ir y venir.

Pero jugamos juntos al minigolf, y todas las noches cenamos en un restaurante, y cuando acabamos de cenar vamos caminando hasta la playa agarrados de la mano y miramos las estrellas. En la primera noche, mientras estamos sentados en la arena húmeda, propongo:

—Vamos a decir cada uno una cosa que nos gustaría recordar de Adam.

Mamá se echa a llorar. Yo empiezo a llorar también y, finalmente, papá acaba llorando.

Así que esa noche no hablamos de él, pero la noche siguiente mamá dice:

—Adam era valiente.

Papá añade:

—Adam podía ver dentro de tu corazón.

Y yo digo:

—Adam era distinto.

Y mis padres me miran pero no me preguntan lo que quiero decir.

En la tercera noche, nuestra última noche en Avalon, mientras contemplamos las estrellas, digo:

—Esta noche tenemos que pensar en algo que hayamos aprendido de Adam.

Mamá dice despacio:

—Adam me enseñó que debíamos tomarnos tiempo para disfrutar de la vida. Y que no importa si tenemos que nadar contracorriente. Para eso estamos aquí.

Ésta es una de esas pequeñas cosas que Nana no hubiera aprobado, creo.

Papá se limita a decir:

—A mí ídem de ídem.

Y yo digo:

—Adam me enseñó que debemos hablar de las cosas.

Se hizo el silencio. Vamos, vamos, quiero que alguien me pregunte por qué digo que Adam era distinto. Y si tengo otros tíos secretos quiero enterarme ahora, por favor.

Pero mamá contesta tan sólo:

—De acuerdo.

Y papá:

—Lo intentaremos.

Es todo lo que puedo esperar.

A últimos de agosto volvemos a Millerton. Una tarde la señora Strowsky llega alegre de su búsqueda del trabajo.

—¡Voy a ser jefa de vendedoras de la sección para niños de Bamberger! —anuncia—. ¡Qué cosas, yo jefa de algo!

Está toda sonriente y alegre, y esa noche lleva a Catherine y a Sam a cenar a Renwick y acaban comiendo hamburguesas. Una semana después se mudan a la casita que han alquilado. Cuando se van, Catherine y yo nos abrazamos y ella me da su nuevo número de teléfono.

—Ven mañana —me dice—. Tengo mi propia habitación. Puedes ayudarme a organizarla.

Y eso hago.

Justo antes del Día del Trabajo, Betsy vuelve a casa y yo le presento a Catherine, de quien ya ha oído hablar por mis cartas, y antes de darme cuenta somos un grupo de tres. El colegio comienza, y nos ponen a las tres en la misma clase. Nancy y Janet también están, pero no me importa lo más mínimo. No forman parte de mi Universo.

El primer día de clase no nos mandan deberes, así que esa noche le escribo una carta a Leila. Catherine me da la idea:

—Mándala a Leila Cahn, Feria de Fred Carmel, Bethesda. Seguro que le llega.

—Pero la feria no está en Bethesda —objeto—. La iban a instalar en las afueras.

—Sí, claro, pero ¿cuántas Ferias de Fred Carmel puede haber por los alrededores de Bethesda? —pregunta Betsy que nos ha estado escuchando.

Un punto para ella.

Así que le escribo una carta a Leila esa noche, tratando de explicarle lo ocurrido, contándole lo de Adam, lo de Ángela Valentine, lo del funeral, y lo de Nancy y Janet. Le digo que era una buena amiga.

La envío a la dirección sugerida por Catherine. Pongo la mía en la esquina superior izquierda del sobre. La carta no me ha sido devuelta, así que puede que Leila la haya recibido. O quizá esté rodando por algún lugar de la feria.

Enciendo la luz, parpadeo. Papá y mamá llegarán pronto. Meto el rollo de película en la caja, cierro la tapa con un pequeño clic. En la tapa hay una lista de las cintas contenidas en su interior. Examino la lista, que antes no había visto, ya que ésta es la primera vez que manejo sola el proyector. Noto que el último nombre de la lista dice simplemente MERCER.

MERCER. Nana, el abuelo, mamá, tío Hayden y Adam. Ningún Owen. Ni papá ni yo.

Abro la caja otra vez y busco el rollo etiquetado como MERCER. Lo coloco en el proyector, apago la luz y me siento en la silla conteniendo el aliento. La imagen que parpadea en la pantalla es vieja y granulada, pero no tan vieja y granulada como yo me temía.

Una joven con toga y birrete camina delante de la cámara, sosteniendo su diploma en las manos, sonriendo y saludando. Mamá. Recuerdo la foto del álbum, la graduación en el instituto. ¿Es la misma graduación? El tío Hayden se pone detrás de ella, muy atildado, y se lo ve tan serio y tan mayor, tan parecido al abuelo, que supongo que es la graduación de la universidad. Sonrío. Entonces esto es Mount Holyoke. Están en South Hadley, Massachusetts, y debe ser el año 1943.

Adam debía tener cinco años por entonces, pienso, y, de improviso, aparece en la película. Viste traje y corbata, y lleva sus gafas totalmente redondas; corre hacia mamá y le echa los brazos al cuello. Mamá se quita el birrete y se lo pone en la cabeza; Adam mira a la cámara, bizquea y saca la lengua; luego bailotea un poco, se quita el sombrero y se lo devuelve a mamá.

Estoy sonriendo y me caen lágrimas por las mejillas y creo que ya no puedo mirar nada más. No sé cómo apagar el proyector a mitad de película, así que dejo que siga funcionando en el salón mientras yo me siento en la cocina.

Acabo las palomitas y pienso en el verano, en ese verano espantoso y maravilloso al mismo tiempo. Y le doy las gracias a Adam, como llevo dándoselas casi todas las noches desde agosto, por enseñarme que es posible levantar los rincones del Universo. Adam me contó lo de levantar rincones la segunda vez que nos vimos, pero entonces no tenía ni idea de lo que quería decir. Ahora creo que lo sé. Se trata de cambiar lo que te toca en suerte, buscando un poco, observando, viendo lo que hay debajo, revolviendo por allí. A veces las cosas salen bien, otras no, pero al menos has explorado. Y, de ese modo, la vida es más interesante.

Nota de la autora

Como Hattie en *Un rincón del Universo*, descubrí de adolescente que había tenido un tío, ignorado hasta el momento, que sufría trastornos mentales. Al contrario que Hattie, sin embargo, no tuve ocasión de conocerlo. Mi tío, Stephen, murió en 1950, cinco años antes de mi nacimiento y un año antes de que mis padres se conocieran. Algunos pormenores de este libro son verídicos. Los he utilizado para dar vida a la historia; pero sé muy poco de Stephen y por lo tanto la descripción de Adam no está basada en mi tío. Adam es un personaje imaginario. Y mientras la configuración de su familia, padres y hermanos mayores se asemeja a la de Stephen, Nana y el abuelo no retratan a mis amados abuelos, y el tío Hayden y la madre de Hattie no son los míos. No obstante, Adam me ha impresionado. Me ha dado el valor necesario para levantar los rincones del Universo. Y por eso le doy las gracias.